O húngaro que partiu sem avisar

Marcelo Antinori

ilustrações Paulo Sayeg

Lazuli editora

Lazuli editora

direção editorial Miguel De Almeida
direção de arte Paulo Sayeg
ilustrações Paulo Sayeg
edição Fernanda de Araújo Patrocinio
diagramação Luis Eduardo Rocco Consolo

Visite o nosso site:
www.lazuli.com.br

Acompanhe no:
facebook: **/lazuli.editora**
twitter: **@lazulieditora**

Dados Internacionais de Catalogação na Publicação (CIP)
(Câmara Brasileira do Livro, SP, Brasil)

Antinori, Marcelo

O húngaro que partiu sem avisar / Marcelo Antinori ;

[ilustrações Paulo Sayeg]. -- 1. ed. -- São Paulo : Lazuli Editora, 2014.

1. Ficção - Literatura brasileira I. Sayeg, Paulo.

II. Título.

ISBN 978-85-7865-084-1

13-13195 CDD-028.5

Índices para catálogo sistemático:

1. Ficção : Literatura juvenil 028.5

1ª edição - São Paulo - 2014

Lazuli Editora
Rua Patizal, 35 - Vila Madalena - São Paulo - SP - 05433-040
Tel.: 11 - 3729-6077www.lazuli.com.br

Para Joana Luar, Thiago Moreno e Chico Januario –
três companheiros nesta longa caminhada.

Sumário

Capítulo I
Tudo começou com a gaivota que pousou no terraço de Bebéi

Do outro lado da praça, Tenente Pirilo jogava dominó na Taverna Asturiana, sinal de que tudo estava absolutamente tranquilo na cidade. É verdade que a palavra "tranquilo" tinha ali um significado limitado, pois em Santa Clara Frente ao Mar noites serenas rapidamente se transformavam em vésperas de grandes tormentas. Mesmo assim, todos aproveitavam. A única que reclamava era Grená; com tudo tão calmo, a vendedora de bilhetes de loteria andava sem novidades para contar.

Em parceria com o asturiano, dono do restaurante, Tenente Pirilo enfrentava a dupla campeã da cidade: Moses e Habib. Os dois, o judeu e o libanês, tinham lojas de roupas na Avenida Central, uma em frente à outra. Passavam o dia inteiro brigando, mas quando se sentavam para o dominó, eram imbatíveis. De tanto competir por clientes, até parecia que um aprendera a ler o pensamento do outro.

Segundo Pirilo, com um pouco de despeito, os dois não ganhavam pela qualidade do dominó que jogavam e sim pelas piadas que contavam para distrair seus oponentes. Para cada uma que Moses contava de um patrício judeu, Habib devolvia uma de seus compatriotas árabes. E a verdade é que Pirilo não tinha direito de reclamar, pois quando os dois se calavam, seu parceiro, que jurava jamais ter escutado piadas de asturianos, rapidinho aparecia com mais uma do português.

Naquele dia o tenente estava com sorte e os dois até conseguiram ganhar uma das partidas. O barulho das gargalhadas, dos gritos e das pancadas que davam com as pedras na mesa ecoava por toda a praça.

Ali, no começo da ladeira que levava à Igreja das Mercedes, Bebéi, o arquivista da Embaixada francesa, abria a porta do casarão e saía com seu cachorro, aproveitando a brisa da tarde que chegava da baía.

Tudo caminhava bem em sua vida. A embaixadora sempre elogiava seu trabalho. Os mais invejosos diziam que era apenas pelos pasteizinhos fritos que ele comprava de Laís e distribuía entre os colegas no meio da manhã, mas a razão era pouco relevante: o importante era que a embaixadora estava contente e, por isso, depois de terminar seu trabalho, naquele dia, Bebéi pediu para sair mais cedo. Ainda que tudo estivesse calmo, havia algo que o preocupava: durante a noite uma gaivota ferida pousara no terraço de seu apartamento e ele não sabia o que fazer.

Foi seu cachorro quem primeiro percebeu a presença da nova hóspede. Ela parecia ter um ferimento na asa e estava como que paralisada, cercada pela balaustrada do pequeno terraço em frente à sala. Nem a cabeça ela mexia. Permanecia completamente imóvel, com o olhar fixo no horizonte do mar.

Imagino que não deve ser fácil "visualizar" a cena do arquivista, já de certa idade e um pouco barrigudo, ao lado do cachorro, olhando curioso a gaivota pela porta de vidro do terraço, principalmente se você não conhece nenhum dos dois e não conhece Santa Clara... Mas não se preocupe, que posso lhe ajudar.

Começo pela cidade: Santa Clara Frente ao Mar é um desses lugares que, por magia ou esquecimento, ainda mantém a mesma arquitetura dos tempos coloniais. Uma pequena cidade que sobreviveu, encostada na moderna capital. É lá que está a antiga Catedral, o Teatro Colonial e os grandes casarões que em outros tempos reafirmaram a grandeza de todo o país. Por um tempo esteve abandonada, mas depois seus encantos atraíram alguns mais românticos e a maioria das antigas construções foi recuperada. A cidade guardava ainda sua pequenez, seu passado histórico e algo que lhe dava uma dignidade especial: não havia ali uma construção sequer que fosse moderna.

As pessoas que lá viviam ainda se cumprimentavam nas esquinas, tomavam sorvete na praça, compravam pipoca no carrinho, comiam pastel frito na calçada e muitas vezes ainda gritavam da rua para passar recados a janelas abertas de um segundo andar qualquer. Nas pequenas praças as crianças brincavam e os velhos aposentados comentavam as notícias do dia enquanto esperavam seus parceiros para o dominó.

Bebéi vivia no terceiro andar do casarão amarelo construído séculos atrás por um dos fundadores da república, que depois foi reformado e dividido em apartamentos. O seu, no terceiro e último andar, ficava bem na esquina e tinha dois pequenos terraços, um no quarto e outro na sala. Deles, ele podia ver o ancoradouro e a baía sempre cheia de gaivotas acompanhando a chegada dos barcos, a Praça da Gabriela, com a fonte, o supermercado e a Taverna Asturiana ao lado do luxuoso hotel dos espanhóis. Mas isso tudo foi antes da chegada da gaivota, pois desde que ela se instalou no terraço tudo mais passou a ser completamente irrelevante.

Bebéi trabalhou a vida toda no Ministério de Relações Exteriores em Paris. Ainda que um pouco lento nos pensamentos, sempre foi um excelente arquivista, "... guardando o que não se pode perder e sempre encontrando o que parecia perdido", como orgulhosamente explicava. Em um dia muito frio, quando já estava quase para se aposentar, ele decidiu arriscar uma nova aventura e se candidatou a uma transferência para a Embaixada de Santa Clara em pleno mar do Caribe, onde, segundo sua imaginação, ainda viviam os piratas com quem sempre ele tinha sonhado.

Um pouco gordinho e careca, Bebéi protegia a cabeça do sol com um chapéu castanho que, junto com a gravata curta e o terno cáqui já um pouco gasto, compunha a sua simpática figura, que todos estavam acostumados a ver pelo bairro. Caminhava tranquilo cumprimentando a todos com um discreto saudar com o chapéu, sempre acompanhado por seu cão, este, sim, cercado de todo um mistério. Pelo que diziam, o cachorro nascera do outro lado do mundo, na Nova Zelândia, e, segundo insistia Henry Moriarty, um hippie sessentão que passava seus dias em frente à Igreja das Mercedes, era a reencarnação de um monge zen-budista que ele conheceu quando esteve meditando em um mosteiro de Kyoto, no Japão.

Se era monge ou não, ninguém sabia ao certo, mas o cachorro era conhecido por todos. Tinha um olhar meigo e é possível dizer com segurança que, se fosse gente, todos ali o cumprimentariam com carinho, quando passeava comportado ao lado de Bebéi ou mesmo quando corria alegre e livre pelas ruas com sua companheira, a cadela magrinha da Passarinho.

Feita essa explicação, podemos regressar ao terraço onde a gaivota continuava imóvel... e Bebéi a observava, preocupado, pelo vidro da porta.

Ter uma gaivota no terraço não incomodava, pois tanto ele quanto o cachorro estavam contentes com a nova hóspede. O problema era como alimentá-la.

Ficar olhando não resolveria o problema; por isso Bebéi decidiu sair em busca de alguém que pudesse ajudá-lo. Desceu as escadas, abriu a porta que dava para a rua, e, naquele exato momento em que Tenente Pirilo e seus amigos jogavam dominó e gargalhavam na taverna, saiu sobriamente com seu cachorro para passear.

Ao pisar na calçada, a primeira coisa que escutou foi a música do *realejo*. Era o filho da Passarinho, tão aloprado quanto a mãe, que passava por ali com seu triciclo, vendendo raspadinhas. Ele pedalava sorrindo, com suas roupas coloridas, maquiado como um palhaço. Atrás, apoiado em suas costas, o macaquinho vestido de Napoleão rodava a manivela do *realejo*, espalhando a música que enchia a rua de alegria.

Desde que um mágico andou por Santa Clara, o filho da Passarinho tinha aprendido alguns truques e, ao ver o amigo Bebéi parado à porta do casarão, interrompeu suas pedaladas e desceu do triciclo. Aproximou-se com reverência e, dizendo algumas palavras mágicas, "tirou" um pequeno ramalhete do focinho do cachorro, que ladrou assustado. Em seguida, com um gesto de humildade entregou as flores a Bebéi e sorriu. Apenas isso. Depois, sem dizer palavra, montou outra vez no triciclo e se foi, subindo a ladeira com suas pedaladas e sua música, em direção à Igreja das Mercedes. Atrás dele foi Bebéi com a guia do cachorro e o ramalhete de flores nas mãos, pensando que o triciclo do filho da Passarinho e a música do *realejo* combinavam bem com o colorido dos casarões coloniais de Santa Clara.

Em frente à igreja Bebéi parou para cumprimentar a velha Grená que, protegida pelo guarda-sol amarelo, vendia seus bilhetes enquanto Robespierre, com suas roupas sujas e expressão desvairada, gritava do alto da escadaria com um grupo de turistas finlandesas, que por sorte não entendiam uma palavra do que ele dizia.

Bebéi permaneceu por alguns minutos escutando os insultos e observando as expressões de espanto e incompreensão no rosto das turistas, mas como aquilo era uma cena corriqueira por ali, preferiu caminhar até a barbearia onde, por sorte, seu jovem amigo Jordi cortava o cabelo para causar boa impressão na entrevista que faria no dia seguinte na Prefeitura.

Jordi tinha concluído os exames do concurso para professor da escola municipal e lhe faltava apenas passar por uma última entrevista. E foi ele quem explicou, ainda sentado na cadeira do barbeiro, como Bebéi poderia alimentar a gaivota.

Jordi estava feliz com a perspectiva de ser professor. Certamente, dar aula na escola secundária não era o sonho da sua vida, mas pelo menos era melhor que servir mesas no Café da Ilona. Ele estava seguro de que iria passar no concurso. Sempre fora um bom aluno e a entrevista não o preocupava, assim como também não o preocupava a fome da gaivota. O que confundia sua cabeça naquela tarde e lhe criava uma ansiedade estranha no peito era a saudade de Cristina. Ela tinha viajado alguns meses antes aos Estados Unidos com uma bolsa de estudos e quanto mais se aproximava o dia de seu regresso mais o peito de Jordi parecia apertar.

Para ele, viver sem Cristina era algo novo. Os dois sempre estiveram juntos. Moravam na mesma rua, estudaram na mesma escola, e quase sempre na mesma classe. Apenas se separaram na universidade: ele foi estudar História e ela, Psicologia e, mesmo estudando em cursos diferentes, continuaram passando todas as tardes juntos. Tinham um sonho em comum – queriam mudar o mundo. Quando Cristina estava a seu lado, tudo era fácil. Sua cabeça produzia mil ideias; tantas que, às vezes, ele até se perdia. Cristina era a única que conseguia fazê-lo aterrissar e transformar seus sonhos em realidade. Por isso Jordi não fazia nada sem antes perguntar a ela.

Como dar de comer a uma gaivota não parecia ser um problema tão transcendental, ele decidiu acompanhar Bebéi. Afinal, o que de mal poderia acontecer quando alguém dá de comer a uma gaivota no terraço de um apartamento?

Capítulo II

O anel saiu voando entre as teias de aranha de um antigo mistério

Os dois subiram as escadas do apartamento praticamente sem conversar. Era natural que estivessem preocupados; nenhum dos dois tinha antes dado de comer a uma gaivota. Mas a verdade é que dar de comer foi mais simples do que imaginavam. Complicado foi o que veio depois.

Quando abriram a porta do terraço, quem primeiro se atreveu a sair foi o cachorro que, com movimentos cautelosos, se aproximou do pássaro ferido. A gaivota não se moveu, talvez por perceber que era pouco o que podia fazer em sua defesa. No início, o cachorro pareceu desconfiado, esperou, cheirou uma vez, cheirou outra e só então, mais seguro, sentou-se ao lado da gaivota, que tinha os olhos fixos no mar, como que tentando entender o que de tão importante ela observava dali. Foram comportamentos como esse que fizeram Bebéi acreditar que o cachorro era realmente a reencarnação de um monge budista e foi por isso também que ele propôs a Jordi deixar os dois sozinhos.

– Talvez entre animais seja mais fácil o entendimento...

E os dois esperaram dentro do apartamento. Alguns minutos depois, com cuidado, abriram lentamente a porta e colocaram sardinhas ao lado da gaivota e um pote com comida ao lado do cachorro, que, rapidamente, a comeu e, respeitoso, nem tocou nas sardinhas da gaivota. Ela, de início, permaneceu imóvel; depois, demonstrando certa hesitação, bicou a primeira sardinha, depois a segunda... Comeu em seguida todas e, ao terminar, voltou seu olhar outra vez para o mar enquanto o cachorro, satisfeito, continuava deitado a seu lado. Bebéi e Jordi sorriam por trás do vidro, sem muito entender. Mas pelo menos a gaivota estava alimentada.

O cão e a gaivota permaneceram ali em silêncio e a calma era tanta que Jordi decidiu aproveitar para sair também ao terraço e relaxar olhando o horizonte. Era a primeira vez que subia no apartamento de Bebéi. Dali ele podia ter uma vista de toda a baía, sentir melhor a brisa e pensar em Cristina.

Naquele final de tarde quase não havia nuvens no céu. Lá do alto ele podia ver a mesa do restaurante onde os quatro continuavam jogando dominó e a alfaiataria do turco, que todos os dias fechava o seu negócio pontualmente às seis para receber os mestres de violão de Santa Clara para suas serestas diárias. Lembrou das noites em que ali tocou para Cristina. E enquanto recordava, olhava com carinho o anel que ela lhe entregara antes de partir.

Jordi sabia que aquele anel era importante para ela e deixá-lo com ele foi a forma que ela escolheu para dizer que seus pensamentos estariam com ele. Ele pensava que era curioso como, entre os dois, sempre foi ela quem tomou a iniciativa. Os dois já haviam conversado sobre praticamente tudo; apenas nunca tinham conversado sobre o que um representava para o outro. Eram os melhores amigos e isso era tão natural em suas vidas como comer e dormir, mas antes de partir ela lhe entregara o anel. E aquilo, de certa forma, mudava tudo.

Ele conhecia bem a história daquele anel. A mãe de Cristina havia trabalhado na Rua das Francesas e seu pai foi um dos tantos marinheiros que por ali chegaram e com ela passaram a noite. "Mas seu pai foi especial...", a mãe sempre dizia, "percebi isso desde o primeiro momento... Fomos ao hotel, passamos a noite e nenhum dos dois quis sair mais daquele quarto. Ficamos ali até ele ter de regressar ao navio. Nunca entendi suas palavras. Só o que sei é que seu nome era Mikhalis, que ele era da ilha de Chipre e que me tocava como nunca alguem me havia tocado. E sei também que no cais do porto, antes de entrar no navio e partir, ele tirou o anel do dedo e me entregou". Se aquilo era verdade ou mentira pouco importava, mas aquela era a história que Cristina conhecia e que ela recordou antes de viajar.

Jordi olhava as gaivotas voando, lembrando que aquela tinha sido a única vez em que a mãe de Cristina tinha estado com aquele homem, seu pai. Talvez ele nunca mais tenha voltado ou, se voltou, não conseguiu encontrá-la. Mas daquele único encontro ficou o anel que Cristina lhe entregou antes de partir.

Era por isso que Jordi olhava para aquele anel com tanto carinho e brincava com ele na palma da mão. E foi naquele momento, em que ele acompanhava distraído o movimento dos barcos entrando e saindo do ancoradouro, que a gaivota repentinamente saltou, abrindo bruscamente as asas como se quisesse voar outra vez. Voar ela não conseguiu, mas conseguiu assustar o cachorro, que ladrou, assustando Jordi, que deixou o anel sair voando pelo ar.

Sua primeira reação foi quase de desespero. Teria o anel caído na rua? Lá ele provavelmente estaria perdido para sempre. Será que caíra no terraço do apartamento de baixo? Jordi se dependurou na grade, de onde teve a impressão de que podia vê-lo. Nervoso, suas ideias se atropelavam. Qualquer coisa podia acontecer, menos perder aquele anel. Gritou por Bebéi e lhe contou do susto da gaivota e do voo do anel:

– Temos de entrar no apartamento de baixo e olhar no terraço – repetia. – O anel está ali, tenho certeza!

Bebéi explicou que aquele apartamento sempre estivera fechado; ninguém vivia ali. Mas a ansiedade de Jordi era tão grande que os dois decidiram descer e pedir a chave ao zelador.

– Nunca tive a chave – foi a resposta inesperada. – Desde que comecei a trabalhar aqui, dez anos atrás, ninguém vive lá. O apartamento está fechado. Não querem alugar nem vender. Sei, pelo que me explicaram, que um escritório de advocacia é quem paga as contas. Nunca entrei ali e não tenho a menor ideia de quem sejam os donos.

Bebéi olhou para Jordi que continuava atônito, olhou para o zelador que não sabia mais o que dizer, e também para o cachorro que, no pé da escada, o encarava confuso. Percebeu que era o único que podia fazer alguma coisa. Pensou o pouco que conseguiu pensar e, olhando para Jordi, disparou:

– Venha comigo! Sei o que podemos fazer.

Voltaram ao apartamento, onde Bebéi explicou seu plano. Começou falando em voz baixa, como se aquilo fosse um segredo:

– Gente que vive sozinha quase sempre tem uma chave escondida fora do apartamento, para poder entrar se perde a que leva no bolso. – E, tentando acalmar Jordi, comentou – Eu tenho a minha e, se você quiser, posso lhe contar onde ela está escondida.

Jordi apenas escutava, em silêncio.

– Faz um bom tempo – continuou Bebéi – notei que sempre que descíamos as escadas o cachorro parava para cheirar o rodapé no andar de baixo. E sempre no mesmo lugar, bem ao lado da porta do apartamento. Por curiosidade, um dia dei uma olhada, discretamente, e percebi que ali o rodapé estava solto e que atrás dele havia uma chave escondida. Nunca a experimentei, mas acho que aquela chave nos pode ajudar a abrir a porta do apartamento.

Jordi se animou e quis descer imediatamente, mas Bebéi, que já havia se metido em problemas por entrar em apartamentos, preferiu esperar e explicou:

– É importante que você saiba que isso não é legal. Não temos autorização; tampouco sabemos quem são os donos do imóvel. Mas isso agora pouco importa. Nós vamos entrar. – Depois de uma pausa, já com uma expressão travessa no rosto, continuou: – Me parece, entretanto, que é melhor que desçamos de noite para que ninguém nos veja... – E, quase sussurrando, completou como quem pergunta – ... e depois não contaremos a ninguém, não é verdade?

Depois de um ano vivendo nos trópicos, Bebéi já havia entendido que nem tudo por ali era tão inflexível quanto os rígidos princípios morais que aprendera em sua infância com o tio muçulmano.

Esperaram a noite chegar e desceram, lanterna na mão, deixando o cachorro cuidando da gaivota. Atrás do rodapé solto, encontraram a chave que, confirmando a suspeita de Bebéi, abriu a porta do apartamento. Mas na entrada, com a porta ainda aberta, tiveram uma enorme surpresa: o apartamento podia estar fechado há mais de dez anos, mas não estava vazio – todos os móveis ainda estavam ali.

Entraram e, mesmo com pouca luz, perceberam que não eram apenas os móveis. As paredes também estavam cheias de quadros e na parede da sala de jantar havia fotos do teto até o chão. Iluminaram com a lanterna a sala de estar, onde observaram uma estante com livros e algumas estatuetas que pareciam ser africanas. Na parede, uma enorme coleção de máscaras e sobre a pequena mesa ao centro da sala, assim como nas pequenas mesas ao lado do sofá e das duas poltronas, inúmeros outros objetos. Tudo coberto por uma grossa camada de pó.

Bebéi se impressionou ao observar a sala de jantar onde centenas de teias de aranha saíam do candelabro preso ao teto como que formando um toldo de circo que cobria a mesa e as seis cadeiras. E ali mesmo na entrada, a seus pés, uma carta empurrada por debaixo da porta presumidamente muito tempo atrás, já que também estava coberta de pó.

O apartamento tinha uma distribuição diferente da do seu: a sala era maior e tinha um piano. Encostados na parede, outros instrumentos de sopro, um violão e o que parecia ser a caixa de um violino. No piano estava aberta uma partitura, como se alguém tivesse acabado de tocar. Tudo completamente coberto de pó e de lúgubres teias de aranha.

A visão era quase assustadora e Bebéi estava atônito com o que via. Jordi, que tinha a lanterna nas mãos, não parecia dar atenção a todos esses detalhes. Entraram no quarto, onde a cama estava feita com lençóis e travesseiros postos. No criado-mudo, um abajur, um relógio e outros objetos. Bebéi ficou parado na porta, olhando espantado para o tapete ao lado da cama, onde um par de chinelos estava na posição exata, como que esperando alguém se levantar.

Jordi, obcecado em encontrar o que tinha perdido, foi caminhando até o terraço e apenas quando voltou de lá, sorrindo, com o anel de Cristina outra vez em suas mãos, colocou a luz da lanterna em Bebéi e percebeu a expressão confusa em seu rosto. O apartamento não estava vazio. Estava sujo e abandonado, mas tudo estava ali, como se alguém tivesse saído de um momento para o outro e nunca mais regressado.

Os dois olharam também dentro do banheiro, onde estavam as toalhas, a escova, a pasta de dente, tudo.

– Certamente, era um homem que vivia neste lugar – disse Jordi. – Nada aqui indica a presença de uma mulher.

Voltaram à sala e, então, com mais calma, iluminaram cada uma das máscaras penduradas na parede. Foi quando perceberam no chão alguns exóticos instrumentos musicais de cordas, que pareciam ser africanos.

Abriram a porta da cozinha e ali também tudo parecia estar em seu lugar. Os dois se surpreenderam ao ver que, dentro da pia, ainda estavam um prato, uma panela e alguns talheres, como se alguém tivesse saído poucos minutos antes e deixado tudo ali para lavar depois. Ninguém havia entrado naquele apartamento por mais de dez anos mas, a não ser pelo pó e pelas sombrias teias de aranha, era como se alguém ainda vivesse ali e apenas tivesse acabado de sair.

Era difícil compreender o que viam, mas como o que buscavam era o anel e ele estava outra vez no dedo de Jordi, os dois saíram sem tocar em nada. Apenas deixaram as marcas dos pés na camada de pó que cobria o tapete e o chão.

Capítulo III
O apartamento vazio que estava cheio era do professor de música

Para Jordi a história do apartamento poderia terminar ali, pois a única coisa que lhe importava era recuperar o anel. Já para Bebéi, a visão do apartamento vazio com seus móveis e teias de aranha provocou uma séria dúvida: o homem que vivia ali teria ido embora ou teria sido assassinado como a canadense? Ele se lembrava de sua vizinha que um dia desaparecera e de quem apenas encontraram o braço, alguns dias depois, boiando em frente às ruínas do antigo forte.

"Certamente que não era a mesma coisa", ele pensava. Quando a canadense desapareceu, dois dias depois eles se deram conta de que alguma coisa estranha havia acontecido com ela. O que se passara com o vizinho do andar de baixo certamente tinha sido diferente. Fosse quem fosse que vivia ali, tinha desaparecido fazia mais de dez anos sem que ninguém tivesse dado pela sua falta.

Bebéi não podia simplesmente ignorar o que tinha visto. Voltou a conversar com o zelador, que repetiu não saber nada mas se comprometeu a obter o endereço do escritório de advocacia responsável pelo pagamento das contas do apartamento, o que já era um bom começo, mas Bebéi queria entender melhor e sabia onde poderia encontrar as respostas: não havia nada que tivesse acontecido ou estivesse por acontecer em Santa Clara que não fosse comentado em frente ao guarda-sol amarelo de Grená, a vendedora de bilhetes de loteria.

Chegou cauteloso, pois não queria levantar suspeitas e sabia que Grená era muito mais rápida do que ele no pensamento. Primeiro disfarçou seu interesse e perguntou se ela sabia quem tinha vivido no apartamento em que ele estava morando. Depois de escutar com uma expressão interessada, perguntou, então, se ela sabia quem tinha vivido no andar de baixo e ela respondeu, enquanto entregava o troco a uma das enfermeiras do centro médico:

– Ali vivia um estrangeiro, acho que alemão, que dava aula de música na escola municipal. Viveu por muito tempo em Santa Clara e um dia, sem que ninguém esperasse, avisou Carmela, a diretora da escola, de que não ia mas dar aulas e se foi sem dizer para onde.

A informação ainda era pouca, mas Bebéi saiu contente. Carmela era sua amiga e ela, certamente, lhe contaria tudo o que necessitava saber. Não explicou a Grená o porquê da pergunta e, na falta de uma explicação, ela mesmo teve de deduzir a razão:

– Desconfio que Bebéi anda procurando apartamento para comprar...

Como muitas das novidades que ela contava, talvez não fosse exatamente a verdade, mas sempre ajudava a puxar conversa com quem quer que passasse por ali.

É importante dizer aqui que Grená não era a única a inventar seus contos. Contar e inventar histórias era um passatempo bastante comum em Santa Clara. Como dizia Dioclécio Bergantim, na sua sabedoria de banco de praça, "Cidade pequena, imaginação grande..." , mas Bebéi nunca antes tinha escutado histórias sobre o professor de música que viveu no apartamento de baixo.

Na manhã do dia seguinte, depois de arquivar os documentos deixados no escaninho e encontrar todos os papéis requisitados pelos funcionários da Embaixada, atividades que sempre exercia com zelo e perfeição, Bebéi finalmente pode conversar com Carmela. E aqui cabe explicar que quando Carmela se aposentou, depois de ter trabalhado como professora e depois como diretora da escola municipal de Santa Clara, ela foi trabalhar na Embaixada da França, onde dividia uma pequena sala com Bebéi. Ele cuidando dos arquivos e ela escrevendo com sua caligrafia elegante o nome do destinatário em toda a correspondência enviada pela embaixadora. E como nem sempre havia muito trabalho ali, os dois tinham muito tempo para conversar.

– Arpad Corvinus era seu nome e não era alemão e, sim, húngaro – explicou Carmela. – Um homem muito educado e atencioso, mas que parecia ser uma pessoa solitária. Ensinou música por dez anos na escola. Era sempre um dos primeiros a chegar e dava suas aulas com grande dedicação. Era muito respeitado pelos alunos e estou certa de que Jordi e Cristina devem se lembrar. Um belo dia, quando o ano já estava terminando, ele entrou em minha sala e disse que não iria mais ensinar. Apenas informou isso e se foi. Nunca mais tivemos notícias dele.

Aquilo não era muito, pensou Bebéi, mas ao menos ele já sabia o nome: Arpad Corvinus. E naquela tarde, quando voltou a encontrar Jordi, saindo feliz de sua entrevista, repetiu o que Carmela tinha lhe contado.

– Óbvio que conheci! – comentou Jordi. – Foi meu professor de música e também de Cristina. Não sabia que era ele quem vivia ali. Cristina chegou a fazer parte de uma orquestra que ele montou com as alunas e chegaram mesmo a se apresentar na festa de fim de ano da prefeitura. Deve ser por isso que ele tinha todos aqueles instrumentos no seu apartamento – e continuou falando enquanto os dois caminhavam.

Jordi, então, esqueceu do húngaro e começou a contar coisas e mais coisas sobre Cristina, até que Bebéi, depois de ouvir educadamente por alguns minutos, lhe recordou que seu interesse era conhecer um pouco mais sobre o professor e não sobre sua namorada.

– Lembro também – continuou Jordi um pouco frustrado – que Cristina contava que ele sabia tocar vários instrumentos, mas que não podia tocar bem nenhum deles, pois lhe faltavam dois dedos na mão esquerda – e depois fez uma pausa para recordar. – Lembro que ela também contava que, às vezes, quando estavam ensaiando com a orquestra, ele esquecia o que estava fazendo e ficava parado olhando os alunos... Mas lembro bem que ela gostava muito dele.

Bebéi continuava intrigado. Como alguém pode ir embora deixando o apartamento completamente montado? E não era apenas isso: como alguém pode desaparecer sem que ninguém fique sabendo? A dúvida continuava: será que o professor de música tinha ido mesmo embora ou será que o tinham matado?

Para estar mais seguro, ele preferiu contar o que sabia a Pirilo. O tenente era seu amigo e certamente não se incomodaria em saber que ele havia entrado no apartamento do húngaro. Quem sabe juntos eles poderiam desvendar aquele novo mistério?

Tenente Pirilo era o segundo filho da Grená dos bilhetes e trabalhava, mas não muito, como chefe da segurança da prefeitura. Sempre foi um profissional sério e inteligente, mas tinha fama de ser excessivamente acomodado. Diziam que passava mais tempo na Praça da Gabriela do que na prefeitura, o que era compreensível, pois era ali que estava a taverna do asturiano e a alfaiataria onde quase todas as noites escutava as serestas. E isso sem falar na Rua das Francesas, que começava no final da praça e que Pirilo também visitava, sempre com muita discrição, no período da manhã, quando a presença do chefe da segurança por aqueles lados não atraía tanto a atenção. Importante, porém, é deixar claro que, vagabundo ou não, Pirilo sempre acabava resolvendo os mistérios e levando a paz de volta às ruas de Santa Clara.

Bebéi contou a Pirilo tudo o que sabia e propôs uma visita ao apartamento, mas o tenente não estava convencido. O apartamento estava vazio fazia mais de dez anos e ele mal se lembrava quem era o húngaro. Mas Bebéi insistiu – e insistiu muito.

Recordou outros momentos em que sua curiosidade tinha ajudado Tenente Pirilo a resolver importantes mistérios que ameaçaram a cidade. Lembrou que se ninguém tivesse tentado descobrir quem era o morto desconhecido no dia em que a banda desfilou, eles jamais teriam descoberto quem era o Condor; lembrou também que, se não fosse o esforço para descobrir por onde andava a canadense, eles nunca teriam conseguido evitar a guerra do fim do mundo entre chineses e americanos. Depois continuou recordando o esforço que os dois fizeram para descobrir quem era a mulher que o mágico queria matar... e, neste ponto, Pirilo decidiu interrompê-lo. Era impossível resistir à insistência de Bebéi e seria muito mais fácil acompanhá-lo em uma rápida visita ao apartamento. Uma visita que acabou não sendo tão rápida quanto ele imaginava.

Entraram com a mesma chave escondida sob o rodapé. A claridade fazia com que tudo parecesse ainda mais misterioso. Com a luz do dia, eles podiam ver todos aqueles pequenos objetos espalhados pela sala do apartamento. Abriram os armários e encontraram as roupas ainda penduradas. As gavetas, tanto no quarto quanto na sala, também estavam cheias com roupas, objetos e papéis. Até a cozinha estava completa e também chamaram a atenção de Pirilo a panela, o prato, os talheres dentro da pia. Tudo era tão intrigante que Pirilo foi se entusiasmando e observando os detalhes.

Na geladeira e no armário da cozinha ainda havia algumas velhas latas de alimentos. Pirilo também percebeu que a chave-geral de eletricidade tinha sido desconectada e que o apartamento, se não fosse a sujeira, estava pronto para ser habitado. A cama estava feita e as toalhas estavam no banheiro. Os remédios estavam no armário de espelho, a escova de dentes, o pente e a tesoura para cortar unhas, tudo coberto por dez anos de abandono, poeira e teias de aranha.

As máscaras penduradas na paredeparede - trinta e duas segundo Bebei - eram todas africanas. Com a luz do dia pareciam mais belas e menos assustadoras com seus detalhes coloridos. Os instrumentos musicais, que também pareciam ser africanos, ainda que estivessem cobertos de pó pareciam estar prontos para serem tocados. Os pequenos objetos que decoravam o apartamento eram também quase todos africanos, mas na parede à entrada da cozinha havia alguns bonecos pendurados que pareciam ser marionetes asiáticas. Na estante, uma coleção de adagas douradas que fizeram Bebéi lembrar da adaga que tinha em seu apartamento, uma das poucas coisas de seu tio argelino que ele ainda guardava consigo.

Ainda mais impressionantes eram as fotos na parede da sala de jantar. Certamente, eram mais de cem, algumas com imagens europeias, onde se viam edifícios que lembravam Bebéi dos que ele conhecia em Paris. Outras pareciam ser da África, com lagos e montanhas e, em muitas delas, o húngaro aparecia cercado de pessoas que pareciam ser africanas. Havia uma foto do que parecia ser a Casba de Argel, que tantas vezes seu tio lhe havia mostrado, e também fotos de um deserto.

Pirilo e Bebéi saíram do apartamento ainda mais confusos do que haviam entrado. E o tenente ficou tão curioso com tudo o que viu que no dia seguinte decidiu fazer uma visita ao escritório dos advogados. O zelador tinha conseguido o endereço e ele preferiu ir sem avisar, para causar surpresa.

O escritório parecia ser pequeno e o jovem advogado que o recebeu não parecia ser um profissional experimentado. Explicou que eles eram apenas os representantes locais de um escritório de advocacia de Miami e só o que pode fazer foi confirmar que o apartamento pertencia ao húngaro. Para espanto de Pirilo, e também do advogado, ninguém ali parecia saber que o húngaro tinha desaparecido.

O advogado também contou que eles seguiam instruções que lhes haviam sido dadas anos atrás. Cuidavam do pagamento das despesas e impostos utilizando os recursos de uma conta de poupança do húngaro que também administravam. E explicou a Pirilo:

– Seguimos estritamente suas instruções e como os juros da conta de poupança são bem maiores que as despesas do apartamento, continuamos fazendo a mesma coisa por vários anos e nunca recebemos uma reclamação.

"Óbvio", pensou Pirilo. Como continuavam recebendo a comissao e o húngaro tinha desaparecido, administrar seu apartamento era fácil e um excelente negócio.

– O apartamento não é a única propriedade dele que administramos – comentou também o advogado. Pirilo apenas anotou. Seu interesse naquele momento era entender por onde andava o húngaro e não o que ele tinha.

O advogado confirmou que o nome do húngaro era Arpad Corvinus e que ele havia nascido em Budapeste, em 1926. Confirmou também que ele era músico de profissão e trabalhava como professor na Escola Municipal, mas Pirilo saiu dali com as mesmas dúvidas com que entrara e dois dias depois recebeu uma visita que o deixou ainda mais intrigado. Era um advogado do escritório de Miami; um homem mais velho e bem vestido que, pelo que ele mesmo explicou, viajou a Santa Clara especialmente para conhecê-lo. Perguntou do húngaro, dos seus herdeiros e até perguntou de Bebéi.

– Agora que sabemos que o senhor Arpad desapareceu, necessitamos encontrar algum outro membro da família – disse o advogado.

As perguntas daquele homem até que pareciam normais, mas havia alguma coisa em sua expressão que incomodava Pirilo. Era verdade que ele era um pouco preguiçoso, mas tonto ele não era e, no meio daquelas perguntas, ele percebeu que o advogado estava escondendo alguma coisa.

– É bom manter os olhos bem abertos – foi seu comentário naquela tarde, quando encontrou outra vez com Bebéi.

Capítulo IV
Como tudo vai bem, ninguém se importa com o húngaro que desapareceu

A gaivota ferida no terraço de Bebéi era o grande assunto da cidade. Do húngaro quase ninguém se lembrava, mas da gaivota todos sabiam. Na calçada, em frente ao casarão amarelo em que morava Bebéi, turistas se revezavam para tirar fotografias do pássaro imóvel detrás da balaustrada.

Todos os dias alguém inventava uma nova piada e até o português do supermercado, que nunca perdia a oportunidade de promover seu negócio, colocou um anúncio na televisão dizendo que a gaivota estava ali atenta para garantir que seus preços eram os melhores da cidade. Instalou também um telescópio na entrada do supermercado, para que todos pudessem ver de perto a gaivota de Bebéi no terraço.

Os mais românticos diziam que a gaivota era uma alma solitária que estava dali observando a mulher que o havia abandonado para trabalhar na Rua das Francesas. Outros, mais brincalhões, replicavam dizendo que era a alma da falecida, apenas esperando que o viúvo tentasse se aproximar de uma mulher para voar e bicar a arma do crime.

A gaivota ficou tão conhecida que até Grená decidiu sair da sombra do seu guarda-sol para ir ao apartamento de Bebéi conhecê-la. O problema foi que ela tirou uma foto ao lado da gaivota, que mostrava a todos, o que acabou por desencadear uma romaria de crianças e de não tão crianças para tirar foto dando de comer à gaivota no terraço de Bebéi. E como ele não sabia dizer não, passava o dia levando e recebendo gente em seu apartamento. A peregrinação só acabou quando o médico do Centro de Saúde desaconselhou, oficialmente, as visitas, dizendo que a gaivota poderia transmitir doenças e o Tenente Pirilo, para livrar Bebéi do tormento, colocou na porta do casarão um cartaz, dizendo: "Visitas à gaivota estão proibidas por ordem da Prefeitura". A única exceção foi o próprio prefeito, que levou seus assessores para uma foto, publicada nos principais jornais da cidade, em que ele aparecia agachado no terraço de Bebéi, colocando uma sardinha no bico do pássaro.

Santa Clara Frente ao Mar vivia um momento como nunca antes havia vivido. O prefeito, que não era dos mais honestos, depois de quase perder as últimas eleições, andava fazendo de tudo para agradar seus eleitores. Tirava fotos com a gaivota; distribuía brinquedos para as crianças, todos comprados com dinheiro da Prefeitura e que incluíam uma gorda comissão para ele; patrocinava os concertos da banda municipal no coreto da Praça da Catedral, onde quase sempre levava uma artista da televisão para distribuir autógrafos, que depois era honrada com um jantar... e, quando ele tinha sorte, com um final de semana privado em seu hotel favorito, escondido numa praia da República Dominicana...

Depois que mandou Cristina, a jovem assistente de Pirilo que teimava em investigar o que não deveria ser investigado, estudar nos Estados Unidos, e, finalmente, tinha construído a fonte da Praça da Gabriela, com barulhinho de água e tudo, como Ilona a dona do Café queria, ele não tinha mais oposição na cidade. Seguia os conselhos de sua assessora, a loura sérvia que conhecia profundamente Maquiavel e, graças a isso, era amado por todos. E como todos estavam felizes, roubava tudo o que podia roubar. Todos os contratos da Prefeitura, sem exceção, eram entregues a algum de seus amigos e todos eram supervisionados de perto por seu irmão, que era quem administrava o caixa dois da Prefeitura e as comissões.

Santa Clara era uma mina de ouro e não apenas pelos chineses, que chegaram comprando propriedades e colocando ali a sua Embaixada, mas, principalmente, pelos turistas.

Com as obras da Prefeitura, todas superfaturadas, a cidade estava mais cuidada e, assim, mais turistas chegavam para visitá-la. E quanto mais eram os turistas, mais os comerciantes de Santa Clara ganhavam dinheiro e melhoravam seus negócios. O prefeito recuperou as ruas, trocando as pedras do calçamento, refez as calçadas, assinando um contrato com uma empresa da qual seu irmão era o maior acionista, e renegociou um contrato multimilionário para a coleta de lixo com o italiano, sócio e amigo, que garantiu que a cidade ficasse mais limpa e que ele e o italiano ficassem ainda mais ricos. Os casarões, as igrejas e todos os outros edifícios foram pintados com a tinta que a Prefeitura comprou e revendeu com um grande subsídio aos que queriam pintar suas casas, o que deixou a cidade brilhando e a sociedade, que ele tinha com o romeno, cheia de dinheiro com a comissão que levaram na compra da tinta.

– Uma aliança perfeita entre setor público e setor privado – como explicava o prefeito aos jornalistas.

Eram tantos os turistas que a Cooperativa Bobo Ashanti, criada por Rasta Bong, o filho mais velho de Grená, que os levava para passear pela baía, já contava com mais de vinte escunas e empregava quase todos os rastafáris da cidade. O novo supermercado do português, que segundo Grená parecia coisa de filme americano, estava sempre cheio e o restaurante mexicano da Juanita tinha todos os dias uma fila de turistas na porta, surpreendendo a todos os que pensavam que ela não resistiria à concorrência do McDonald's, que tinha sido aberto bem ao lado.

Com os turistas chegaram novos hotéis e com os novos hotéis chegaram mais turistas. Os espanhóis restauraram alguns casarões abandonados, que se transformaram em pousadas de luxo; o único casarão que permanecia abandonado era aquele onde vivia a velha que inventava histórias e os quatro irmãos ciganos. Segundo o que diziam, aquele casarão, que sempre foi um dos mistérios da cidade, estava protegido por algum feitiço e uma herança conflitiva. Mas todos os outros haviam sido restaurados e estavam brilhando.

Muitos novos moradores chegaram para ali viver, atraídos pela beleza e pela serenidade do lugar, mas o que dava àquilo tudo um toque especial era que em Santa Clara ainda estavam os que sempre viveram por ali. Foram poucas as famílias que tiveram de sair com os novos investimentos. Os vizinhos de sempre continuavam caminhando pelas calçadas. Continuavam comprando suas coisas nas mesmas lojinhas, tomando café na mesma padaria e passando todos os dias em frente ao guarda-sol amarelo de Grená para saber as novidades e perguntar como andava a gaivota de Bebéi.

Tudo isso, porém, foi antes de começarem os rumores de uma nova Santa Clara, assunto de que trataremos mais tarde, pois enquanto nos distraíamos descrevendo a cidade. Bebéi continuava confuso e a gaivota já não era seu único problema.

– Como é possível que um professor de música desapareça de uma hora para outra sem que ninguém saiba dizer para onde foi? – era a pergunta que não lhe saía da cabeça.

Em Paris, foram poucos os que perceberam quando ele partiu, lembrava Bebéi. Talvez os colegas de trabalho no ministério, mas apenas eles. Quando vivia em Malakoff, ele tomava o metrô todos os dias para trabalhar, fazia suas compras no grande supermercado, assistia ao futebol, às notícias e aos filmes pela televisão e quase nunca falava com ninguém. Provavelmente, nenhum dos vizinhos notou quando ele partiu. Em Santa Clara era diferente. Ali todos o conheciam e ele sempre cumprimentava os amigos quando caminhava pelas ruas. Será que o húngaro do apartamento de baixo também cumprimentava as pessoas na rua? Esse pensamento o incomodava; rodava e voltava como uma obsessão. Será que alguém sentiria sua falta, se um dia ele desaparecesse? Bebéi recordava aquele dia em que ele também tinha desaparecido, sequestrado por traficantes. Naquele dia, quando o levaram, seu cachorro saiu pelas ruas chamando a atenção de todos. Será que as pessoas o conheciam apenas pelo cachorro? Será que o húngaro tinha um cachorro como o seu?

Tenente Pirilo, que junto com Bebéi comia o risoto de polvo preparado pelas mãos abençoadas de dona Cécy, a cozinheira do Café da Ilona, também estava intrigado.

– Será que ele foi assassinado ou será que se matou? – Pirilo comentava enquanto saboreava com prazer cada garfada que levava a boca. – Acreditar que ele simplesmente fechou o apartamento e desapareceu não faz o menor sentido. E tem mais: ninguém deixa as roupas no armário e louça para lavar na pia quando vai viajar. Alguém apenas sai assim se pretende voltar logo – e aí lembrou que antes de sair ele havia desligado a chave da eletricidade, sinal de que sabia que iria demorar.

Bebéi escutava e sentia que precisava saber mais sobre a vida do húngaro. Além de Pirilo ninguém parecia se importar com ele, mas para Bebéi o húngaro era importante... e muito. Era seu vizinho; sempre vivera ali, sozinho como ele. E, se ninguém tinha se importado com o húngaro, será que alguém se importaria, se ele desaparecesse?

Naquela noite, ele não conseguiu dormir. A vontade de fazer alguma coisa agoniava seu peito e foi enquanto andava pelas ruas com o cachorro que ele recordou as palavras do tio:

– São esses desejos fortes que apertam o estômago, que dão cor à nossa vida. Tudo o mais são apenas ornamentos que colocamos para impressionar aos outros.

Não lhe parecia correto que todos continuassem ignorando seu vizinho. Pensando nisso, ele deixou o cachorro no terraço cuidando da gaivota e, com a lanterna na mão, voltou outra vez ao apartamento do húngaro. Ele ia olhar cada papel, cada objeto e cada foto que estava ali até entender por que Arpad se fora sem avisar. E tinha que ser rápido, pois na manhã do dia seguinte ele teria de ajudar Frei Bernardo com a abertura de sua pizzaria.

Capítulo V

Enquanto o frade vende pizzas, os ladrões esvaziam o apartamento

Frei Bernardo já não era mais frade e estava abrindo uma pizzaria. Chegara a Santa Clara mais ou menos na mesma época que Bebéi, como um padre arrogante e desagradável, que apenas repetia as coisas que havia aprendido em Roma, mas, com o tempo, se transformou e passou a ser querido por todos. Segundo contava Grená, foi graças às longas conversas com Dioclécio Bergantim e, especialmente, aos jantares que organizava na sacristia para os pelagatos, um grupo de loucos e bêbados que passavam seus dias discutindo e vagabundeando nos degraus da igreja, que ele aprendeu a entender aquela cidade e por ela se apaixonou.

Ele era italiano e todas as quintas-feiras gostava de cozinhar "tripas" à sua maneira para comer com os pelagatos, que tinham apenas de atender a uma condição: não estar bêbados. E, aparentemente, as tripas do padre eram tão boas que aqueles jantares se transformaram em tradição e a cidade pouco a pouco se acostumou com a ideia de que, pelo menos às quintas-feiras, os pelagatos já não bebiam mais.

Imagino que o nome "pelagatos" pode lhe parecer estranho. É compreensível, pois foi Nullo Rompido, que, dizem, um dia foi banqueiro e decidiu abandonar tudo para viver bêbado em frente à igreja, quem o inventou. Isso foi muito tempo atrás, quando, por insistência de sua mulher, o prefeito ordenou que Nullo fosse retirado das escadarias da igreja, uma tarefa que não pode ser cumprida quando ele alegou e fez registrar em cartório, que as escadarias da igreja eram a sede da Confraria dos Pelagatos e que, como um dos membros fundadores, ele tinha todo direito de ali permanecer. Uma história que todos conheciam na cidade e que fez com que os pelagatos da Igreja das Mercedes passassem a ser uma das atrações da cidade.

Retornando agora a Frei Bernardo é importante lembrar que ele continuava a ser um homem profundamente religioso e dedicado ao trabalho social que antes fazia na igreja, mas que depois de conhecer Gigi, a amiga de Ilona, teve sua predileção pelo celibato seriamente afetada. Entre os dois logo nasceu o amor, algo que as autoridades do Vaticano nunca chegaram a compreender. E como foram muitos na cidade que se solidarizaram com ele, quando o arcebispo o expulsou da igreja, era grande o apoio que vinha recebendo para abrir seu próprio negócio.

Frei Bernardo tinha aprendido a fazer pizza na Toscana com seu pai, antes mesmo de aprender a rezar, mas daí a abrir uma pizzaria em Santa Clara era um longo e árduo caminho. Ling, o chinês, alugou a ele um imóvel que antes utilizava como depósito e que, com pouco dinheiro, podia ser transformado em um restaurante. Ilona, que sempre dizia que faltava uma pizzaria na cidade, o ajudou com a compra do forno e de todo o material para a cozinha. Junto com Rasta Bong, ela acompanhou Frei Bernardo ao banco e o ajudou a conseguir um empréstimo, assinando como sua fiadora. Kay, a filha de Ling, que fazia a contabilidade de quase todos os negócios de Santa Clara, ajudou com a papelada e pediu a Bebéi que apoiasse o frade, que nunca na vida tinha lidado com tanta burocracia. Rasta Bong, que já tinha aberto inúmeros negócios na cidade, também indicou em detalhes tudo o que ele teria de fazer e quem deveria procurar. Mas tudo isso não foi suficiente. Frei Bernardo tinha uma forma muito especial de fazer as coisas e era essa a razão da reunião na manhã do dia seguinte. Os amigos estavam ali, menos Bebéi, que não apareceu.

– Não aceito e não vou aceitar pagar suborno a ninguém! – Frei Bernardo falava com veemência e misturava algumas palavras em italiano que não pareciam apropriadas na boca de um frade, ainda que fosse um ex-frade. – Não vou pagar a comissão aos inspetores da Secretaria de Saúde, pois eles sabem que minha câmera refrigerada é nova e está funcionando de acordo com as mais modernas normas de fabricação. E nem a esse bando de *cornutti* da Secretaria de Trabalho, que sabem que todos os empregados aqui são registrados e ainda assim não me dão a autorização para funcionar. Também não vou pagar a *questi mafiosi* dos bombeiros que inspecionaram a cozinha. Eles sabem que tudo ali está em ordem, mas se recusam a dar a licença... Nem a esses *figli di putane* da Prefeitura, que ainda não me deram a licença para abrir a pizzaria mesmo com toda a obra já terminada... E nem a esses *sporchi* da Secretaria de Finanças, que ainda não liberaram os documentos que Kay lhes entregou há mais de dois meses... Sabem o que mais? *Vaffanculo tutti questi scemi* do Patrimônio Histórico, que sabem muito bem que não mudei absolutamente nada na fachada, mas continuam pedindo uma comissão para liberar o alvará.

Rasta, Kay, Ilona e até Gigi tentavam explicar que sem pagar aquelas "comissões especiais" talvez levaria meses ou mesmo anos para obter todas as licenças necessárias, mas o frade insistia em que pagar suborno era tão criminoso quanto aceitá-lo. E o que devia ser uma reunião de negócios acabou por se transformar em uma reunião para discutir princípios, onde a paixão ensurdeceu Rasta Bong e Frei Bernardo, que já estavam aos gritos quando Ilona percebeu que não conseguiriam avançar muito naquela manhã.

– Por hoje chega! Melhor continuarmos amanhã. E Rasta, por favor, passe pela casa de Bebéi para ver o que houve. Não é normal ele esquecer um compromisso. E que esta seja a última reunião que fazemos pela manhã. Vocês sabem que, com tanto sol, tenho dificuldade para pensar.

Rasta saiu e o frade foi com ele. Os dois continuaram discutindo enquanto caminhavam pelas ruas. Rasta era absolutamente pragmático. À noite, quando fumava seus cigarrinhos, tudo o que lhe importava era a poesia da música, das cores e dos movimentos, mas durante o dia ele não fumava e fazia tudo o que devia fazer para manter os pequenos negócios que tinha criado com os amigos, que iam desde a cooperativa com os rastafáris, até os táxis com Miguel, seu amigo de infância, passando pela barbearia que herdara de seu pai e a orquestra dos ciganos.

– Com essa mania de querer entender e discutir tudo, você não vai conseguir nada – insistia Rasta com seu amigo frade.

Apenas quando estavam subindo as escadas do casarão os dois pararam de falar. A porta do apartamento do andar de baixo estava aberta, o que parecia curioso, mas como nenhum dos dois conhecia a história do húngaro, eles continuaram subindo até o apartamento de Bebéi. Tocaram várias vezes e perceberam, pelos latidos do cachorro, que algo estranho estava acontecendo.

Rasta Bong chamou por telefone seu irmão Tenente Pirilo, que estranhou ainda mais:

– Bebéi nunca sai sem o cachorro. Ele deve estar dentro do apartamento – e, ainda com o telefone na mão, saiu da Prefeitura correndo para encontrá-los.

Pirilo chegou rapidamente, encontrou com os dois na porta da rua e, quando subiam as escadas, percebeu a porta do apartamento do húngaro aberta e decidiu entrar. Aquilo, decididamente, não parecia normal.

A surpresa que teve foi ainda maior do que na primeira visita. Tudo o que ele antes tinha visto nas paredes coberto de pó e de teias de aranha tinha desaparecido e o apartamento estava um caos. Entrou no quarto e ali também a desordem era total: as gavetas estavam abertas e as roupas e tudo mais que estava dentro delas não estavam mais ali. Foi só então que ele abriu a porta do banheiro... e encontrou Bebéi amarrado e amordaçado dentro da banheira.

Considerando o que tinha acontecido, ele até que estava bem. Não estava ferido.

– Desta vez não me quebraram o braço – disse, lembrando aquele dia em que fora sequestrado pelos traficantes.

Depois, já mais tranquilo, sentado no sofá da sala, Bebéi contou que ninguém o tinha agredido. Os bandidos apenas o tinham amarrado dentro do banheiro para poderem fazer seu trabalho.

– Eram quatro homens mascarados que chegaram quando estava olhando os armários do quarto.

Ele explicou que tinha ficado ali até de madrugada tentando descobrir mais coisas sobre o húngaro e, quando estava dentro do quarto, escutou um ruído na sala e viu os quatro.

– Usavam máscaras e luvas. Foi tudo o que pude ver. Depois me colocaram amarrado na banheira.

O apartamento estava completamente revirado. Até na cozinha eles tinham entrado e tudo estava jogado no chão, como se tivessem procurado alguma coisa dentro dos armários.

– Abriram as portas sem arrombar nada – comentou Pirilo. – Provavelmente, tinham as chaves.

Um roubo que parecia curioso, pois levaram tudo o que encontraram: roupas, papéis, as fotografias que estavam na parede, as máscaras e até as pequenas estatuetas que o húngaro tinha nas estantes e nas mesinhas da sala. Limparam completamente as gavetas e levaram todos os instrumentos musicais. Apenas deixaram o piano.

– E por que alguém rouba fotos penduradas na parede? Que merda vão fazer com aquelas fotos? – reclamou Rasta Bong, que de tanta raiva tirou a boina da cabeça e as tranças rastafáris caíram até quase tocar o chão.

– Eram profissionais – respondeu Pirilo, começando a organizar seus pensamentos. – Não foi um simples roubo. Pelo que contou Bebéi, eles usavam máscaras e luvas, mas estas marcas na poeira do chão não têm traços de solas de sapatos, o que significa que eles estavam usando também algum tipo de proteção nos pés para não deixar pistas. Estavam procurando alguma coisa e, como não tinham tempo para encontrar o que queriam, levaram tudo pra revisar depois em outro lugar. – Depois, comentou consigo mesmo: – Curioso... O apartamento passou dez anos fechado é só agora, três dias depois de Bebéi ter descoberto que o apartamento vazio estava cheio, eles aparecem para roubar!

Tenente Pirilo terminou de falar já se virando para Bebéi, sentado no sofá e ainda um pouco tonto depois de ter passado tanto tempo amarrado dentro da banheira:

– Eu lembro que, no dia em que estivemos aqui, você levou um diploma que estava na parede.

Bebéi confirmou.

Naquele dia, uma folha de papel emoldurada tinha chamado a atenção dos dois. Eles não sabiam ao certo se era um diploma ou um convite, pois estava em alemão, mas tinha uma moldura sofisticada e trazia em letras grandes o nome de Adolf Hitler.

Aquele diploma foi tudo o que sobrou depois do roubo, pois estava no apartamento de Bebéi que, em meio a toda aquela emoção, esqueceu de mencionar que, antes da chegada dos ladrões, tinha colocado no bolso o envelope que encontrara no chão, perto da porta do apartamento.

– Olhe que absurdo! Nem aos ladrões importam os livros! – foi o comentário irônico de Frei Bernardo, ao perceber que na estante da sala a prateleira com os livros permanecia intacta.

Foi então que Bebéi surpreendeu a todos, levantando-se do sofá com um enorme sorriso e pedindo para levar os livros do húngaro para o seu apartamento.

– Talvez possamos saber algo mais sobre ele estudando os livros que leu.

Pirilo não conseguia entender... Como era possível que Bebéi estivesse sorrindo e interessado em livros depois de ter passado a noite amarrado e amordaçado? De que poderiam servir aqueles livros?

Alguns livros eram em alemão, outros em francês e alguns escritos com umas letras que Pirilo nem sabia o que significavam. Entre o dominó, o futebol e as mulheres, nunca lhe sobrava tempo para ler e ele sequer conseguia lembrar o nome daquele livro, que segundo contava a todos com orgulho, lera duas vezes para fazer um trabalho para a escola.

Bebéi, ao contrário, sempre conheceu bem a importância de notas, livros, cadernos e papéis. Importantes pelo que contavam como também pelo que escondiam e o que Pirilo não sabia era que, antes da chegada dos quatro ladrões, ele tinha encontrado uma foto muito interessante guardada dentro de um daqueles livros. Uma foto tão especial que ele preferiu não contar a ninguém antes de estar seguro do que tinha visto.

Pirilo instruiu seus assistentes a revistarem em detalhes o apartamento em busca de pistas; e Bebéi regressou ao seu apartamento para pegar o cachorro e levá-lo a passear. Eram muitos os pensamentos que se misturavam em sua cabeça e era apenas quando caminhava que ele conseguia pensar. Roubaram tudo o que o húngaro tinha deixado ali: as fotos, as roupas, as estatuetas e até os cadernos e as partituras de música. Esvaziaram todas as gavetas e, por sorte, não encontraram o mais importante: os livros.

Ele agora tinha tudo de que necessitava para descobrir quem era o húngaro. E isso ele não ia contar a ninguém... apenas a Irigandi, a menina indígena, pois dela Bebéi nunca escondia nada.

Para ele, o mais importante agora era saber quem era o húngaro, por que ele tinha partido sem avisar e por que ele guardava, escondida dentro de um livro, aquela foto de seu pai quando vivia na Argélia.

Capítulo VI
Se tocou para Hitler, era um nazista. Que bom que foi roubado!

Para evitar confusões, é importante explicar aqui quem era o pai de Bebéi, o que não é tarefa fácil, pois o próprio Bebéi mal o conheceu. A única coisa que sabia ao certo, pois seu tio lhe havia contado, era que seu pai era argelino e lutou lado a lado com o General De Gaulle para expulsar os alemães da França. Aparentemente, participou de várias ações importantes e por isso, ao final da guerra, foi condecorado pelo próprio De Gaulle e recebeu como prêmio a cidadania francesa. Depois da guerra, conheceu uma jovem francesa cheia de ideias revolucionárias, com quem se casou. Bebéi tinha dois anos quando o pai decidiu que, depois de ter libertado a França dos nazistas, deveria regressar ao seu país para libertá-lo também de seus invasores. A mãe de Bebéi foi com ele. O único problema era que os invasores da Argélia eram os mesmos franceses que ele tinha ajudado a libertar.

Bebéi permaneceu em Paris, vivendo com um tio que tinha excelentes pensamentos mas pouco dinheiro e, por isso, foi obrigado a colocá-lo em um orfanato, onde passou a infância sempre pensando no pai e na mãe, até o dia em que seu tio lhe contou que os dois tinham sido executados pelo exército francês.

Ele apenas recordava de seu pai por fotografias; de sua mãe nem isso. As poucas fotografias que o tio guardava tinham sido levadas pela polícia no dia em que invadiram o apartamento em busca de informações. Foi apenas alguns anos depois, quando os jornais publicaram uma foto dos revolucionários argelinos, que seu tio lhe mostrou quem era seu pai. Aquela foto era a única imagem que Bebéi tinha dele e, curiosamente, era a mesma foto que o húngaro guardava dentro de um de seus livros.

Bebéi passeou com seu cachorro por todo o calçadão à beira-mar e, ainda que estivesse cansado, não queria parar de caminhar. Foi andando pelas ruínas do velho forte e chegou à beira do rio que separava a cidade antiga do bairro mais pobre, onde as casas eram simples e os turistas nunca visitavam. A vontade que sentia era a de seguir caminhando, mas não podia. Ele tinha de voltar e levar o diploma para Frida. Ela era alemã e poderia traduzi-lo.

Enquanto Bebéi regressava a seu apartamento, aproveito para contar que, segundo o que dizem em Santa Clara, Frida foi uma revolucionária trotskista que, quando jovem, colocou uma bomba na estação de trens de Stuttgart. Foi presa – dizem até que torturada – e depois saiu perdida pelo mundo e chegou a Santa Clara, onde primeiro foi prostituta e mais tarde tornou-se uma velha bêbada e briguenta, que vivia como um dos pelagatos, sentada nos degraus da escadaria da Igreja das Mercedes.

A alemã já estava um pouco acabada, mas ainda era forte e violenta e isso quem sabia bem era o almirante americano, comandante geral da quarta frota, que cometeu a loucura de chamá-la de bêbada durante a invasão de Santa Clara e que levou tamanho soco no nariz que, nem com todas as cirurgias que fez, jamais reencontrou seu desenho original.

Aquele soco tornou Frida famosa, mas famosa ou não ela continuava dormindo nos degraus da igreja. Cuidava da sua vida sem incomodar ninguém, desde que, obviamente, ninguém lhe cruzasse o caminho, pois sua paciência era extremamente limitada.

Bebéi a respeitava e sabia como tratá-la. Como necessitava um favor, tinha de retribuir com outro; então, passou pelo supermercado para comprar uma garrafa de vodca. Ela agradeceu o presente, tomou três dedos de um só gole e depois, com calma, pediu os óculos que Nullo Rompido guardava entre suas coisas. Leu e explicou a Bebéi que aquilo não era um diploma e, sim, um convite para um jantar. Dizia que no dia 19 de março de 1944, no palácio Schloss-Klessheim em Salzburg, Adolf Hitler, o "Führer des Großdeutschen Reiches" (que, segundo ela explicou, significava "líder do grande império alemão"), receberia para jantar o Almirante Miklos Horthy, Regente da Hungria.

O convite descrevia também o que iriam comer e, ao final, mencionava que, antes do jantar, "em uma demonstração da histórica união entre os dois países", o jovem violinista húngaro Arpad Corvinus executaria a Dança Húngara número 5, do compositor alemão Johannes Brahms.

– Filho da puta! – disparou Frida. – Esse seu húngaro era um nazista!

Um comentário deselegante, que incomodou Bebéi profundamente. Como podia ser verdade que o húngaro, o vizinho do andar de baixo, fosse um nazista? Um *sale cochon,* como dizia com raiva e desprezo seu tio em Paris. Aquilo não podia ser verdade. E como quem entendia bem dessas coisas da história era José Princesa, o livreiro, Bebéi deixou Frida insultando os nazistas em alemão e foi voando até a livraria.

Princesa não estava e quem estava ali era o assistente recém-contratado, que segundo a manicure da barbearia era ainda mais bonito que Jordi. Princesa estava no ateliê de modas, como Lola Marlene. Aqui é importante esclarecer que o livreiro José Princesa e Lola Marlene, a sensual cantora do cabaré maldito e desenhadora de moda, são a mesma pessoa, apenas que um se veste de homem e a outra de mulher, algo com que Bebéi e todos de Santa Clara conviviam já fazia algum tempo, com a mais perfeita naturalidade.

Bebéi esperou que Lola terminasse de atender a mulher do embaixador argentino, mostrou-lhe o menu do jantar e explicou o que Frida tinha comentado.

José Princesa, que mesmo quando se vestia como Lola, era apaixonado por tudo o que os livros contavam. Ele foi com Bebéi até a livraria para consultar alguns livros e ali encontrou uma referência àquele jantar.

– Foi um jantar muito importante – explicou Princesa. – Enquanto jantava com o regente húngaro, Hitler instruiu o exército alemão a invadir a Hungria ao som do violino do seu amigo nazista.

Outra vez a acusação de nazista que tanto incomodava Bebéi... Mas ele queria saber mais e Princesa explicou que, em março de 1944, as coisas estavam se complicando para os alemães.

– Na Itália, as forças aliadas já estavam atacando o sul de Roma e os alemães estavam com dificuldades para resistir. Do outro lado da Europa, o exército soviético tinha libertado Leningrado... – e seguiu contando detalhes daquele período da guerra, até que explicou – Aparentemente, Horthy, o regente húngaro, estava traindo Hitler com algumas negociações secretas com os soviéticos e foi por esta razão que Hitler o convidou para aquele jantar e, enquanto jantavam, iniciou a invasão do território húngaro.

– Quer dizer então que é verdade que o húngaro era um nazista? – perguntou Bebéi, resignado.

– Parece que sim – respondeu Princesa.

Aquilo confirmou a primeira das surpresas que Bebéi teve naquele dia.

Da livraria ele foi até o Café da Ilona, sempre com seu cachorro ao lado. Quem sabe assim esqueceria o desconforto que sentia de ter um vizinho nazista? Ali, no terraço do Café de frente para o mar, era onde ele gostava de saborear as comidas de dona Cécy, de preferência acompanhando as conversas de Ilona. Seu prazer não era o de falar, mas o de escutar o que os outros conversavam. Mas naquela tarde uma nova surpresa o esperava. Já na entrada, seu cachorro percebeu que alguma coisa diferente estava acontecendo. Correu para o terraço do restaurante e viu a pequena Irigandi brincando com um cachorrinho que Paul, o namorado de Ilona, tinha acabado de lhe dar de presente.

O cachorro de Bebéi podia ser a reencarnação de um monge budista mas, ao ver Irigandi acariciando aquele filhotinho, perdeu completamente sua postura zen e não conseguiu disfarçar um profundo ciúme. Bebéi percebeu a tristeza do cão e, imediatamente, demonstrou sua solidariedade, saindo do restaurante. Ilona e Irigandi entendiam, mas o que podiam fazer? O filhote era tão pequeno e tão doce...

Naquela tarde Bebéi ainda tinha um encontro marcado com um veterinário amigo de Jordi, que se havia oferecido para visitar a gaivota. O veterinário foi ao apartamento e, ao entrar, reconheceu que nunca antes tinha tratado uma gaivota, mas que poderia examinar o ferimento. Foram até o terraço e enquanto o veterinário examinava a ave, Bebéi respondia aos gritos às perguntas dos turistas que, da calçada, acompanhavam tudo, curiosos. A gaivota continuava sendo a grande atração da cidade.

O veterinário examinou, tocou na asa, limpou com algodão algumas partes que estavam sujas e definiu seu inesperado diagnóstico:

– Pelo que pude ver, ela não tem nada. Decididamente, sua asa não está ferida. Está apenas suja com o que parece ser algum tipo de graxa. Tenho certeza de que a qualquer momento ela vai sair voando. E se não voou até agora é porque o senhor a deve estar tratando tão bem que decidiu aproveitar e ficar no seu terraço.

"Um roubo e três surpresas em um único dia", pensava Bebéi. "O húngaro era nazista, Irigandi tinha um novo cachorro e a gaivota não estava ferida". E, para completar, depois que o veterinário partiu, tocaram a campainha do seu apartamento com mais novidades. Era um dos assistentes de Pirilo, avisando que o apartamento de baixo estava liberado e que ele podia ir buscar os livros do húngaro.

Eram apenas vinte e seis livros. Ele sabia porque os tinha contado e recontado. Para os ladrões, eram apenas livros que dariam muito trabalho levar – provavelmente, algo parecido com o que pensaram Pirilo e seus assistentes, tão acostumados a ver livros em estantes que nem tiveram curiosidade de abri-los. Mas Bebéi tinha olhos de arquivista e, ao bater os olhos neles, logo percebeu que eram vinte e seis, colocados em ordem alfabética pelo sobrenome do autor. Um livro para cada uma das letras do alfabeto. E eles não estavam ali por acaso:

The shield of Achilles, W.H. Auden
Die Verlorene ehre der Katharina Blum, H. Boll
Heart of darkness, J. Conrad
Justine, L. Durrel
The hollow men, T.S. Elliot
Le crime de Sylvestre Bonnard, A. France
Die Blechtrommel, G. Grass
Siddhartha, H. Hesse
Hedda Gabler, H. Ibsen
Ulysses, J. Joyce
Der prozeß, F. Kafka

Woman in love, D.H. Lawrence
Eszter hagyatéka, S. Marai
Veinte poemas de amor y una canción desesperada, P. Neruda
1984, G. Orwell
Доктор Живаго, B. Pasternak
Giorno dopo giorno, S. Quasimodo
Briefe an einen jungen dichter, R. M. Rilke
Az ajtó, M. Szabo
Воина и мир, L. Tolstoi
Niebla, M. Unamuno
Eneida, Virgílio
Leaves of grass, W. Whitman
La montagne de l'ame, G. Xingjian
Her praise, W.B. Yeats
Germinal, E. Zola

Bastou uma rápida olhada para que ele suspeitasse de que o húngaro tinha ali um arquivo. Na noite do roubo, antes da chegada dos ladrões, Bebéi abriu o primeiro dos livros – o de Auden – e encontrou ali a fotografia de seu pai.

O húngaro, antes de partir, tinha organizado um arquivo guardando notas pessoais, cartas e fotografias entre as páginas daqueles livros. Qual era a razão Bebéi não sabia, mas, certamente, deveria ser algo importante. Aquele arquivo escondia algum segredo e, com paciência, ele iria descobrir. Mas sem contar nada a ninguém, pois quem tinha roubado o apartamento do húngaro poderia voltar para roubar o seu.

Ele lembrou também que ainda tinha com ele o envelope encontrado no apartamento: uma carta que chegou talvez pouco tempo depois da partida do húngaro e que alguém, sem saber, empurrou por debaixo da porta.

Por sorte a carta estava escrita em francês. Eram poucas linhas, que diziam apenas: "Sou a filha de Morgen. Vivo em

Kinshasa com minha avó, a mãe de meu pai, e, pelo que me contaram, talvez você seja meu avô. Se isso for verdade, me avise que quero muito conhecê-lo" e uma assinatura: "Laurence". Aquela carta tinha sido escrita muito tempo antes e nunca ninguém a tinha respondido.

O húngaro que se foi tinha uma neta. Será que ele sabia? Teria ele partido para encontrá-la? Mas a carta estava fechada e o húngaro tinha partido antes de recebê-la.

Por sorte, a carta trazia um endereço. A neta ainda viveria ali?

Capítulo VII
Nem as loucuras de Paul distraem a atenção do detetive Bebéi

Nos dias que se seguiram, Bebéi dividiu seu tempo entre três grandes preocupações: cuidar da gaivota, que não estava ferida, entender o sistema utilizado pelo húngaro para organizar seu arquivo e, por último, mas, certamente não, menos importante, acalmar o ciúme que seu cachorro sentia.

Com relação à gaivota, não havia muito o que fazer. Ela continuava imóvel no terraço, contente com a companhia do cachorro que já não dormia aos pés de Bebéi e, sim, no terraço ao lado de sua nova amiga – uma amiga que nunca o havia traído! Na rua, turistas em romaria continuavam tirando fotos e, pelo que contavam, na entrada do supermercado do português já eram três os telescópios apontados para o terraço de Bebéi. José Princesa comentou que o português tinha colocado um anúncio na televisão, dizendo que a gaivota, fascinada com os preços baixos do supermercado, tinha decidido ficar por ali.

Entender o arquivo, o segundo de seus problemas, era apenas uma questão de tempo e paciência. Ele era um arquivista e sabia que cada arquivo tinha a sua lógica; apenas precisava descobrir qual era a lógica do húngaro. O problema era que algumas das notas estavam escritas em línguas que ele desconhecia e, para não levantar suspeitas, teria de ser bem cauteloso ao pedir ajuda.

Bebéi rapidamente percebeu que não havia relação direta entre o idioma dos livros e o idioma das notas neles guardadas. Percebeu também que não havia nada dentro do livro de Xingjian; porém, na última página, estava escrita uma frase simples e ao mesmo tempo misteriosa: "Meu último livro... de que me serve continuar lendo?".

No livro de Émile Zola também não havia notas. Mas havia um pequeno envelope colado a uma das páginas, com uma chave dentro, que ele preferiu tirar dali e guardar em lugar mais seguro.

Em quatro dos livros, as notas estavam escritas em húngaro e, por sorte, ele conhecia o arquivista da Embaixada da França em Budapeste. Os dois tinham trabalhado um bom tempo juntos em Quai D'Orsay, em Paris, e ele poderia lhe pedir ajuda. As notas em húngaro estavam dentro dos livros de Hesse, Joyce, Lawrence e Pasternak.

No livro de D.H. Lawrence havia uma foto bem antiga de uma cigana, no verso da qual estava escrito "Lali". No livro de James Joyce, uma longa carta firmada por alguém que se chamava Janus Corvinus. No livro de Hermann Hesse estavam algumas cartas de Horthy, o regente húngaro, o que parecia indicar uma relação entre a primeira letra do sobrenome autor do livro e o assunto das notas que ali estavam guardadas. L de Lawrence e Lali; J de Joyce e Janus; H de Hesse e Horthy. Mas ainda era muito cedo para tirar conclusões.

Bebéi escreveu ao amigo de Budapeste contando o que havia descoberto e dizendo que estava curioso para saber mais sobre a vida de Arpad. Sabia que ele iria ajudá-lo, pois, na época em que trabalharam juntos, seu amigo sempre se mostrava entusiasmado quando aparecia alguma nova investigação como aquela.

Com as notas em francês, em espanhol e em português ele não teria nenhum problema. Em Paris, ele cuidava dos arquivos dos países ibéricos e, por isso, havia estudado bem os dois idiomas. As outras ele decidiria depois. O que ele precisava era de tempo e de paciência.

Essas duas coisas seriam mais fáceis de controlar do que o ciúme do seu cachorro. Este, sim, estava totalmente indignado. Por várias vezes Bebéi tentou levá-lo ao Café, mas ele se recusava. Nem na rua do restaurante queria mais passar. Mas naquela noite Bebéi queria pedir à pequena Irigandi que o ajudasse a esconder a chave e foi com o cachorro. Gostando ou não, ele teria de se acostumar com a ideia de que sua jovem amiga agora tinha seu próprio filhotinho. E foi difícil. Bebéi teve de utilizar toda sua força para arrastá-lo até o restaurante.

Irigandi, apesar de ser bem jovem, sempre foi a grande amiga de Bebéi, desde o dia em que ele chegou a Santa Clara. Era cega mas era também uma nele, nome que seu povo dá aos que nascem com o dom de ver o que ninguém mais pode ver. Ela não via as coisas que todos veem, mas sentia o que ninguém mais podia ver. Chegara a Santa Clara junto com seu avô, um dos grandes sábios de sua comunidade, e, depois que o avô morreu, passara a viver com Ilona.

O Café estava tranquilo naquela noite. E enquanto os dois cachorros se cheiravam embaixo da mesa, eles escutavam Paul, o professor de Nebraska e namorado de Ilona.

Muitos consideravam Paul um louco; ainda mais louco que os pelagatos. Mas ele era um louco extremamente agradável, com dois doutorados, um em Física e outro em História, e respeitado por todos os loucos do mundo que acreditavam na existência de vida em outros planetas. Desde que chegou a Santa Clara, ele se enamorou de Ilona e por isso acabou ficando. Ela insistia em que o único homem de sua vida havia sido o Condor, mas como ele estava morto, depois de muitas idas e vindas, acabou aceitando que Paul fosse viver em sua casa. E como explicava a dona Cécy:

– É um excelente remédio para acalmar minhas ressacas matinais.

Paul fora enviado a Santa Clara pelo Departamento de Defesa do governo americano, para verificar os rumores de que havia algo importante, escondido pelo povo de Irigandi nas matas do Darién, que separam o Panamá da Colômbia. Algo muito secreto que, como um dia explicou o avô de Irigandi, "era ainda mais belo que o ouro, pois guardava todo o conhecimento dos antepassados".

O problema era que o segredo estava tão bem protegido pelos guardiões que nunca ninguém conseguiu encontrá-lo. Um problema que se agravou quando algumas explosões causadas por perfurações de petróleo provocaram um incêndio que destruiu toda aquela parte da selva e tudo o que ali estava escondido.

Com ou sem o segredo do Darién, Paul decidiu ficar em Santa Clara e dali saía em viagens pelo mundo, que depois transformava em livros de arqueologia espacial. Suas ideias e aventuras eram conhecidas por todos em Santa Clara e até Grená, a vendedora de bilhetes, já era uma especialista em galáxias, planetas e sondas espaciais. Bebéi sempre foi um de seus principais ouvintes. Naquela noite, Paul, vestido com seu terno de linho branco e seu chapéu Panamá, explicava a alguns visitantes dinamarqueses suas ideias:

– Um planeta com temperatura e clima como o nosso é uma pérola preciosa no meio do universo, e é muito provável que já tenhamos sido visitados por emissários de outros planetas.

Enquanto ele falava, embaixo da mesa o cachorro de Bebéi começava a se interessar pelas lambidas do filhotinho de Irigandi. A jovem indígena era a única a perceber, pois não necessitava ver para sentir.

Paul continuava a explicar:

– Suponham que eles nos visitaram e que desejaram preservar nosso planeta para uma eventualidade futura. Se isso for verdade, é bem provável que tenham deixado aqui algum tipo de informação – ele falava com os olhos em Ilona, que se distraía com aquelas divagações. Não lhe agradavam homens chatos e monótonos, que apenas sabiam conversar sobre futebol, política e negócios. E, certamente, Paul não era um desses.

Irigandi escutava, atenta e calada. As loucuras de Paul se pareciam muito com as loucuras que seu avô lhe havia confidenciado sobre o segredo do Darién e ela estava cada vez mais certa de que, com a ajuda do professor e de seus estudos, seu povo finalmente poderia entender muitas coisas que nunca antes havia entendido.

Bebéi também escutava, mas não conseguia prestar atenção. Seu pensamento estava longe dali. Desde que a gaivota pousara no seu terraço, eram muitas as coisas com as quais ele tinha de se preocupar. Talvez já não tantas, pois depois daquele jantar seu cachorro se tomou de carinho pelo filhotinho de Irigandi, mas entender o arquivo do húngaro e por que ele havia desaparecido continuava sendo a prioridade de seus pensamentos.

Naquela noite ele contou em segredo a Irigandi que havia encontrado a chave no livro de Zola e pediu-lhe que a guardasse onde ninguém a pudesse encontrar:

– É bom não contar a ninguém, nem mesmo à Ilona. Os bandidos não vão descansar até descobrir quem está com essa chave, e de você ninguém vai desconfiar.

Depois, enquanto Paul comentava seus planos para uma nova viagem de estudos, Bebéi, educadamente, se despediu de todos e regressou ao apartamento. Certamente, as coisas que Paul iria fazer no Oriente Médio eram muito importantes, mas ainda mais importante para ele, naquele momento, era continuar com suas investigações. E a primeira coisa que queria entender era por que a fotografia de seu pai estava guardada dentro daquele livro.

No livro de Auden, além da foto de seu pai junto a outros líderes do movimento de liberação da Argélia, também havia algumas notas referentes àquele país, onde aparentemente o húngaro tinha vivido de 1958 até 1960. Não havia nenhuma referência especificamente a seu pai, mas havia notas que mencionavam contatos com os principais líderes revolucionários argelinos.

No livro de Quasíimodo havia poucas coisas e, por sorte, todas escritas em francês. Um endereço em Quebec, no Canadá, alguns extratos bancários e alguns papéis que ele não conseguiu entender, mencionando um certo Walden.

O livro que tinha mais notas era o de Conrad. Ali todas as cartas, anotações pessoais e fotos pareciam estar relacionadas ao Congo. E pelo que Bebéi pode entender, o húngaro vivera naquele país por mais de dez anos. Mas as notas daquele livro mencionavam pessoas e lugares que ele não conhecia.

Ainda que ele não entendesse o que diziam, tudo parecia confirmar que havia uma relação entre a primeira letra do sobrenome do autor e a palavra-chave do arquivo. Argélia para Auden, Congo para Conrad e Quebec para Quasimodo. No livro de Anatole France havia algumas notas em português que falavam de algumas pessoas e de problemas políticos em Angola e Moçambique, mas aparentemente não havia nada que tivesse relação com a letra F. "Paciência...", pensou Bebéi. Afinal, ele estava apenas começando.

A única coisa que o incomodava, e muito, era que Frida tinha contado a todos que seu vizinho húngaro era um nazista. Ele não podia aceitar que alguém que tinha vivido no andar abaixo do seu, que tinha instrumentos musicais na sala e que fora professor de Cristina e de Jordi e amigo de Carmela fosse um nazista, mas a Trotska insistia com suas piadas. E não era apenas ela: todas as vezes que ele passava pelas escadarias da Igreja das Mercedes, os pelagatos o recebiam com uma saudação no mais puro estilo nazista.

Entre as fotos que Bebéi encontrou no arquivo do húngaro havia uma que provava que Arpad não era nazista, mas como fazer para mostrá-la? Ninguém em Santa Clara sabia daquele arquivo e era melhor mesmo que ninguém soubesse. Mas como o incomodava aquela história! Ele tinha de fazer alguma coisa para que, definitivamente, Frida parasse de chamar o húngaro de nazista.

Capítulo VIII

Os planos revolucionários do prefeito para uma nova Santa Clara

Em Santa Clara, toda semana trazia uma novidade. Lúcia, a que era beata e agora andava pelas ruas com roupas apertadas de ginástica, ia inaugurar sua academia. Era isso o que todos comentavam.

Até os seus vinte anos Lúcia fora uma das beatas mais fervorosas da cidade. Não faltava nunca à missa das sete da manhã e trabalhava todos os dias como assistente da mulher do prefeito. Mas havia uma coisa que a incomodava: sempre ficava tensa e suava quando passava por Negro Zen meditando, de peito nu, em alguma das praças da cidade. Isso durou até o dia em que os rastafáris da cooperativa Bobo Ashanti decidiram tirar a roupa no calçadão para protestar contra o prefeito. Naquele dia, ela não aguentou. Desde então, esqueceu a virgindade e trocou as missas diárias por sessões de ginástica e ioga, que sempre fazia usando uma malha colorida e bem apertada. E como seu pai, o administrador do porto, não aceitava a ideia de ter uma filha frequentando salões desconhecidos, ele a ajudou a abrir logo sua própria academia.

Era um galpão antigo que o porto já não utilizava e ela conseguiu todas as licenças e autorizações em tempo recorde, o que não era de surpreender, pois, como contava Grená, qualquer coisa se podia conseguir no porto com o pai de Lúcia, até mesmo embarcar drogas – desde que pagando as devidas "comissões".

A academia foi, enfim, inaugurada com uma exibição de dança moderna na escadaria da Igreja das Mercedes. Desde que o mágico fizera ali seu espetáculo, todos disputavam aquele espaço para fazer apresentações, o que, obviamente, perturbava os pelagatos. Foram inúmeras as brigas e discussões, até que tudo foi resolvido por Nullo Rompido, o chefe da confraria. Como antes de ser um bêbado ele fora banqueiro e poderoso, Nullo sabia muito bem como fazer grandes negociações. Assim, os pelagatos estabeleceram uma taxa em garrafas de vodca: qualquer um deveria de pagar para utilizar as escadarias e, com isso, o problema foi resolvido. Lúcia, então, pode promover sua academia nas escadas da igreja e os pelagatos se embebedaram tranquilos por toda a semana com vodca importada.

A academia não era um tema importante, mas todas as vezes que os amigos se reuniam com Frei Bernardo para conversar sobre a pizzaria, Rasta Bong recordava:

– Veja como você é um babaca! Lúcia paga todas as comissões e subornos necessários e já abriu sua academia, e você, com seus princípios, não vai conseguir abrir nunca esta pizzaria! E tem mais: a partir do próximo mês começam os pagamentos do aluguel. E aí, como é que você vai fazer para pagar ao chinês?

O frade, que já não era mais frade, insistia em não pagar as "comissões" e já tinha conversado com a mulher do prefeito, que também não compreendia como alguém podia ser obrigado a pagar subornos para abrir um negócio honesto. Foi ela mesma quem insistiu em acompanhá-lo à uma visita ao prefeito, que se mostrou chocado com tudo o que escutou:

– Não posso acreditar. Vou abrir imediatamente uma investigação e podem ficar tranquilos que, em menos de uma semana, tudo será resolvido – e três semanas já se haviam passado!

O que nenhum dos dois ficou sabendo é que, depois que saíram, o prefeito chamou o irmão em seu gabinete:

– Quem esse louco pensa que é? Será que está achando que só porque comeu a gostosona da Gigi pode fazer o que quer? Olho nele! Se não pagar uma comissão por fora, não abre! Não vamos abrir precedente em nossa administração.

Rasta Bong, que já não sabia mais o que fazer, foi reclamar com Ilona.

– Se ele não paga o que lhe pedem, não abre a pizzaria. E se não abrir a pizzaria, não vai poder pagar o banco. Como nós dois somos os fiadores, o que vai acontecer é que vamos ter de pagar pela sua teimosia.

Ilona entendeu, mas explicou que não era muito o que podiam fazer.

De todos os subornos, o que mais incomodava o frade era o do Corpo de Bombeiros. Ele tinha absoluta consciência dos perigos de um incêndio em meio a todos aqueles casarões antigos e, por isso, insistiu em comprar equipamentos absolutamente testados e seguros, ainda que mais caros, para sua pizzaria. Colocou também dispositivos modernos de segurança contra incêndios. Mas nem assim os bombeiros liberavam sua licença. Continuavam insistindo que faltava concluir uma avaliação da madeira utilizada na escada que levava ao depósito, o que era apenas mais uma desculpa; na semana anterior tinha sido o diâmetro de saída do exaustor e, antes, a distância entre o fogão e a parede. Sua raiva aumentou ainda mais com o incêndio da sorveteria italiana que, todos sabiam, pertencia à mulher do italiano dono da empresa de lixo e sócio do prefeito em vários negócios. Os jornais noticiaram que o incêndio começara no sistema elétrico e questionavam: como a sorveteria, que não cumpria com as regulamentações mais básicas, tinha obtido a licença em menos de uma semana?

O frade aproveitou esse incidente para visitar os jornais e explicar o que estava acontecendo. Pediu também publicamente que se fizesse uma inspeção em sua pizzaria com a participação de jornalistas. A discussão tomou tamanha dimensão que o assunto acabou sendo pauta do noticiário da televisão.

O prefeito abriu outra investigação e a licença da pizzaria saiu no dia seguinte, mas essa era apenas uma das tantas licenças e autorizações necessárias e Bernardo, que já não era frade, decidiu aproveitar o interesse dos jornais para denunciar todos que o estavam extorquindo. A repercussão foi tanta que ele recebeu convite da Câmara de Comércio para fazer uma apresentação em seu almoço semanal.

Tudo aquilo incomodava o prefeito, que não queria confusão com a imprensa, pois estava prestes a lançar um megaprojeto neorrevolucionário.

A ideia do projeto não era nova. Alguns investidores da Arábia Saudita e um grupo de holandeses tinham apresentado, tempos atrás, propostas para construir um mega-hotel e alguns cassinos em Santa Clara, mas a ideia não tinha avançado. O que era novo, diziam os boatos, era que os dois grupos se haviam unido a outros grupos internacionais também poderosos e estavam apresentando uma super-mega-proposta.

A primeira a perceber que algo estranho estava acontecendo foi, obviamente, Grená. Segundo ela contava embaixo de seu guarda-sol amarelo, o motorista do irmão do prefeito tinha escutado uma conversa, na qual um dos assessores do prefeito explicava à sua amante que a ideia era construir uma nova cidade onde terminava a orla marítima.

Pelo que o motorista tinha entendido, o projeto começaria no forte em ruínas, que passaria a ser parte de um grande hotel e de um enorme shopping center, que seria construído em frente à uma marina para grandes iates e alguns edifícios de mais de cinquenta andares para apartamentos e escritórios.

Os boatos cresceram até que o cunhado de Carmela, que antes de se aposentar tinha sido engenheiro da Prefeitura, descobriu e contou a todos que a área construída do novo projeto seria três vezes e meia a área construída de toda a cidade antiga, incluindo teatros, igrejas e o edifício da Prefeitura.

– O pior – dizia ele – é que existe outro projeto de um grande hotel com cassino do outro lado da cidade, apresentado por uns investidores russos, ,que, certamente, será desenvolvido, se esse projeto da nova cidade avançar.

Com todos aqueles projetos, a cidade ficaria completamente cercada por grandes edifícios e, pelo que contava o engenheiro, apenas o cinema que iriam construir no novo shopping teria seis salas onde mais de mil pessoas poderiam assistir a filmes ao mesmo tempo. Uma mudança dramática se comparada à sala da Prefeitura, que apresentava novos filmes às terças e quintas à noite para não mais de cinquenta pessoas por sessão.

O projeto incluiria uma nova avenida de seis pistas para entrar e sair da cidade antiga e, segundo diziam alguns, ainda que sem entender, o rio que desembocava no mar depois do forte iria desaparecer. Pelo que se comentava toda água seguiria passando por tubos subterrâneos e onde passava o rio seria construído o novo shopping center com os cinemas e os restaurantes das grandes cadeias americanas.

– Como é possível? – reclamava indignado o Coronel Vieira. – Ali está o centro de treinamento, onde todos os soldados e oficiais das forças armadas deste país foram treinados. Que vão fazer com o centro?

– Levá-lo para o norte da cidade, onde está a nova mesquita dos muçulmanos – explicou o engenheiro, quase causando um enfarto no Coronel.

O engenheiro também explicou que as empresas construtoras iriam trazer trabalhadores de outras partes do país e até de países vizinhos para trabalhar no projeto. Santa Clara seria uma das maiores cidades de todo o Caribe, cheia de americanos e europeus que, rapidamente se mudariam para viver ali.

– Façam o que quiserem, desde que não construam nada em frente ao terraço do restaurante – era o que dizia Ilona.

Gigi, porém, não estava de acordo:

– Você enlouqueceu! Você acha que todas essas pessoas que hoje vêm ao Café para beber, dançar e contar histórias vão continuar aparecendo no dia que esta cidade estiver cercada de prédios e de gringos? Os clientes de que você gosta não são esses de camisas coloridas e bermudas. Você gosta dos vagabundos aventureiros e sonhadores, e esses não vão aparecer mais por aqui com todas essas novas torres e shopping centers. Você não lembra o inferno que foi esta cidade nos tempos da invasão? Você acha que vai poder sair bêbada do Café no final da madrugada e dar uma mijada no meio do calçadão, como fez ontem à noite, quando tudo isso estiver construído. Acorda, mulher! Isto vai ser um inferno.

Gigi não era a única que pensava assim. Todos em Santa Clara se lembravam do que tinham passado com a invasão da cidade pela quarta frota americana. A invasão transtornara a cidade. Os negócios tinham crescido e todos ganharam muito dinheiro, mas não tinham tempo e tranquilidade para gastá-lo.

Tenente Pirilo insistia em dizer que nos tempos da invasão várias vezes ele teve de suspender o dominó da tarde por falta de parceiros.

– Como vamos fazer? – perguntavam todos e ninguém sabia a resposta.

– Será que não podemos convencer o prefeito a suspender esse projeto? – perguntou Bebéi a Nullo Rompido, que respondeu com toda sabedoria de quem havia sido banqueiro:

– Se o projeto é tão grande como estão falando, o prefeito vai ganhar tanto dinheiro em comissões que jamais irá suspendê-lo.

Dioclécio Bergantim, o filósofo da Praça da Catedral, que sempre escutava a todos calado, acariciando seus gatos, assustou-se:

– Se fazem essa merda, eu me vou daqui! – e nunca antes ninguém ali tinha escutado o velho Dioclécio chamar alguma coisa de "merda".

Bebéi se foi, sem nada entender. Se tudo estava tão bem na antiga Santa Clara, por que construir uma nova?

Capítulo IX
Como pode um húngaro nazista tomar café com Che Guevara?

Os planos da nova cidade já estavam causando apreensão nas escadarias da Igreja das Mercedes, onde os membros da Confraria dos pelagatos se reuniam para suas importantes discussões. Coronel Vieira, que antes de ser um bêbado quase chegou a ser o chefe supremo das forças revolucionárias do país, tentava convencer Robespierre e Frida a lutar contra os planos do prefeito. E a cada dia que passava, o Coronel parecia mais estranho:

– Tudo o que querem é nos expulsar das Mercedes. Primeiro tentaram com os traficantes; como não conseguiram, mandaram a quarta frota americana, que apenas não conseguiu graças ao sopapo que Frida meteu no nariz do almirante. Como resistimos heroicamente, ele agora quer construir esses apartamentos para trazer nossos inimigos a Santa Clara. Temos de resistir.

Robespierre estava tão bêbado que continuava dançando uma valsa com duas pombas empoleiradas em um pedaço de pau, um truque que ele havia aprendido com o mágico, enquanto Frida, que não dava a menor atenção ao que o Coronel dizia - tentava entender como aquele militar aposentado, que antes apenas pensava em bundas e peitos, acabara se tornando um velho paranoico.

Nullo Rompido, que, por ser o mais velho, reclamava o direito de abrir e fechar as reuniões da confraria – direito unanimemente questionado por todos os demais –, preferia fazer-se de desentendido. Ele tinha simpatia pelo prefeito. Gostava das garrafas de vinho que ele, às vezes, lhe deixava no meio da noite e estava suficientemente sóbrio para saber que não havia nada que um bando de loucos e bêbados pudesse fazer para deter os grandes investidores. Ele os conhecia e sabia como atuavam; afinal de contas um dia ele também fora um deles.

Bebéi não simpatizava com a ideia de uma nova cidade; escutava reclamações por todos os lugares por onde andava, mas sem grande interesse. Na verdade tudo aquilo era secundário, pois a ele só importava, naquele momento, entender o que o húngaro tinha escondido no seu arquivo. Era nisso que pensava todo o tempo.

As notas escritas em francês sobre o Congo que estavam no livro de Conrad descreviam o assassinato de alguém que se chamava Patrício Lumumba e também mencionavam um ditador, Mobutu, que aparentemente era um grande assassino - mas que recebia do húngaro algum tipo de apoio.

Bebéi não conhecia a história do Congo e tinha muita dificuldade em entender. O que ele fazia bem era ler os títulos para arquivar os documentos. Tinha uma memória fotográfica e algo em sua forma de pensar lhe permitia visualizar todos os arquivos com que trabalhava, como se tivesse um mapa escondido dentro da cabeça. Era isso o que ele sabia fazer: arquivar e encontrar papéis. Porém, desde criança, nunca conseguiu ler mais de uma página de um livro sem se perder. Sua cabeça se distraía com outras coisas e, por mais que se esforçasse, seus pensamentos voavam e ele não conseguia se concentrar na leitura.

Ele precisava de ajuda para compreender o que passou no Congo e sabia que José Princesa poderia ajudá-lo, mas como pedir ajuda sem que todos soubessem que aqueles documentos do húngaro estavam em seu apartamento?

Primeiro tentou ler as notas em espanhol, especialmente as que estavam no livro de Henrich Boll. Ali havia notas comentando sobre países africanos e a luta do ditador Mobutu do Congo com um tal de Agostinho Neto, que vivia em Angola. Bebéi também percebeu que o livro de Boll era onde o húngaro arquivava as notas que faziam referência a um tal Barba Roja, que parecia ser um cubano que participava em muitas discussões sobre África. Talvez Barba Roja fosse a chave daquele arquivo.

No livro de Magda Szabo, a palavra-chave parecia ser Santa Clara, pois foi ali que Bebéi encontrou alguns documentos em espanhol referentes ao apartamento que o húngaro tinha em Santa Clara: o contrato com a empresa de advogados que administrava seus bens e também referências à outra propriedade que, aparentemente, o húngaro havia comprado na cidade. As notas do livro de Szabo não faziam referência à política ou à vida do húngaro.

As notas mais interessantes pareciam estar no livro de Gunter Grass. Ali estavam todas as provas de que o húngaro não era nazista. Como alguém poderia ser nazista e, ao mesmo tempo, amigo de Che Guevara?

Havia ali algumas cartas escritas por Che, nas quais ele agradecia ao húngaro por lhe ter apresentado Tamara. Aparentemente, ela era amiga de Arpad e ele a apresentara a Che quando este esteve em Leipzig para algumas reuniões com o governo da Alemanha Oriental, em 1960. Havia também outras cartas, em que Che comentava os acontecimentos do Congo, e em todas elas ele sempre incluía um parágrafo comentando como estava Tamara. E o mais importante: havia uma foto na qual Che Guevara aparecia com sua boina de guerrilheiro, ainda bem jovem, e a seu lado uma jovem mulher de cabelos negros, também com uma boina, e um homem europeu de cabelos claros, que poderia ser Arpad – os três sentados ao redor de uma mesa. Atrás da foto, estava escrito "Leipzig 1960 com T e G".

Bebéi, que já começava a entender a lógica do arquivo do húngaro, decidiu dar uma olhada no livro de Tolstoi para ver se havia ali alguma referência a Tamara e o que viu confirmou o que pensava: as notas guardadas naquele livro faziam referência a ela, sim, mas tudo estava escrito em alemão e ele não conseguia entender.

Cada vez mais, ele sentia que precisava de ajuda. O arquivista de Budapeste o ajudaria com as notas que estavam em húngaro, mas ele necessitava da ajuda de Frida para entender as notas escritas em alemão e também necessitava da ajuda de José Princesa para entender o que aconteceu no Congo e em toda a África... Como fazer?

Ele já tinha enviado uma carta para o endereço que aparecia no envelope da carta de Laurence, a neta do húngaro, dizendo que era vizinho do apartamento de Arpad e que estava procurando saber por onde ele andava. E foi pensando naquela carta que teve a ideia de inventar uma mentira: e se ele dissesse que era a neta quem tinha algumas fotos de Arpad? Não era uma grande mentira, o que não seria aceitável tendo em vista seus rígidos princípios morais, mas uma pequena mentira que lhe permitiria salvar a reputação do húngaro sem ter que dizer que tinha aquele arquivo em sua casa.

Colocou a fotografia do húngaro com Guevara no bolso e foi até a esquina das Mercedes, com ar decidido de quem de uma vez por todas iria acabar com a má reputação de seu vizinho. Chegou com seu cachorro, e Frida que estava bem-humorada, não quis perder a oportunidade: mal ele cruzou a rua, ela se aproximou da amurada cantando um hino alemão e fazendo a saudação nazista.

Bebéi sorriu, pois sabia que ela fazia aquilo apenas por brincadeira, mas a verdade era que aquele tipo de brincadeira o incomodava. Ele não sabia ainda o que o húngaro fazia, mas estava certo de que ele não era um nazista.

Preferiu conversar com Frida a sós e por isso foi com ela para dentro da igreja. Sua intenção era ser discreto, mas quando a alemã viu a fotografia do Che, ficou eufórica e chamou Robespierre, que se aproximou, mas pouco conseguiu ver, pois seus olhos já não enxergavam quase nada. Como Nullo não encontrava seus óculos, tiveram de pedir ajuda na barbearia, onde foram salvos pelo judeu Moses, que ali cortava o cabelo. Finalmente, ao reconhecer quem estava ao lado do húngaro na foto, Robespierre começou a chorar e subiu na amurada para convidar a todos os que por ali passavam a se aproximar e ver a fotografia do "honorável guerrilheiro internacionalista Che Guevara", que o companheiro Bebéi havia encontrado. Ele estava tão emocionado que não conseguia parar de chorar e começou a cantar a Internacional Socialista, no que foi acompanhado por Frida, que se divertia ao olhar a expressão confusa de Bebéi que, por sua vez, não compreendia absolutamente nada do que estava acontecendo.

Ao final do hino, Robespierre saiu pelas ruas anunciando a grande novidade e, durante todo o dia, uma romaria de amigos e inimigos passaram pelas escadarias das Mercedes, onde Frida orgulhosa mostrava a fotografia de Che Guevara a todos os visitantes.

O húngaro, que até aquele momento não era conhecido por muitos em Santa Clara, passou a ser famoso como "o amigo do Che", o que para Bebéi parecia ser melhor do que ser um nazista.

Difícil para ele foi quando Grená e Pirilo começaram com suas perguntas:

– Onde você conseguiu essa foto?

– Foi a neta do húngaro que me mandou.

– O que mais ela mandou?

Bebéi respondeu que nada, mas Grená insistiu.

– Como pode ser? Ela apenas te mandou a foto e mais nada?

E Bebéi já começava a se confundir em sua própria mentira. Fizeram algumas perguntas mais e, quando ele começou a gaguejar, os dois perceberam que ele estava escondendo alguma coisa e decidiram não pressioná-lo. Mais tarde, com tranquilidade e sem tantas pessoas à volta, Grená e Pirilo facilmente descobririam o que ele estava escondendo. O importante ali era que o húngaro não era nazista e, sim, um comunista... O que para o Coronel Vieira, do alto de sua velha farda já um pouco suja e com seus binóculos de campanha pendurados no pescoço, era "tudo a mesma porcaria".

Capítulo X
Sábado, dia de sentar na praça e conversar com os amigos

Manhã de sábado, dia de aproveitar a tranquilidade da Praça da Catedral e conversar com os amigos... Pelo menos era isso o que pensava Dioclécio Bergantim, o velho filósofo, sentado no banco bem em frente à livraria de José Princesa. A livraria continuava vazia, mas isso não preocupava Princesa, pois o que Lola Marlene ganhava desenhando roupas era mais do que suficiente para pagar todas as suas despesas. E quando alguém lhe perguntava se não era melhor fechar a livraria, respondia com firmeza:

– De que vale uma cidade que não tenha a sua livraria?

Bebéi chegou à praça já escutando a boa novidade: o resultado do concurso tinha sido publicado e Jordi tinha passado em primeiro lugar! Talvez fosse uma má notícia para Ilona, que perderia o melhor de seus garçons, mas era boa para Jordi, que finalmente poderia dedicar mais tempo ao que gostava.

Dioclécio comentou:

– Pena que como professor vai ganhar menos do que no restaurante, mas pelo menos Ilona já avisou que, se quiser, ele pode trabalhar lá à noite, para complementar o salário.

Os dois ficaram por ali, dando de comer às pombas enquanto o cachorro de Bebéi corria pela praça com a cadela magrinha da Passarinho, que em meio à sua demência, distribuía aos turistas, em frente a Catedral, convites para a exibição de um grupo de teatro uruguaio ocorrido três semanas antes.

Poucos minutos depois foi Tenente Pirilo quem chegou ali. Parecia distraído, mas a verdade era que ele queria aproveitar a calma daquele sábado para conversar com Bebéi e entender melhor a história da fotografia e da neta do húngaro. Pirilo continuava desconfiado. E não pela mentira de Bebéi, pois ele sabia que não precisava se preocupar com nada que o arquivista fizesse. O que o incomodava era o roubo ocorrido ao apartamento do húngaro.

Tudo parecia muito estranho. Pela descrição de Bebéi, o roubo fora trabalho de profissionais mas ninguém sabia o que, verdadeiramente, os ladrões estavam procurando. Tenente Pirilo continuava investigando com sua equipe, mas ainda não tinha descoberto nada de concreto. Nem mesmo os ciganos – que sempre sabiam de tudo o que se passava nas ruas e que muitas vezes já o haviam ajudado a descobrir coisas que ninguém descobria – sabiam dizer quem tinha roubado o apartamento do húngaro. Quem acabou ajudando foi Ludmilla, que, antes de se casar com seu irmão Rasta Bong, tinha sido *stripper* em um dos cabarés da Rua das Francesas. Pirilo conhecia bem os segredos de sua cunhada e sabia que ela, que era russa, ainda fazia parte de um grupo de anarquistas europeus que se entretinham em roubar obras de arte de velhos milionários, mas sobre isso, por prudência, ele nunca comentava. E foi ela quem lhe contou quem eram os ladrões:

– Meus amigos escutaram de um conhecido em Miami, que alguém de muito dinheiro contratou um grupo de especialistas para vir aqui e limpar o apartamento. O roubo não foi coisa de pés de chinelo; foi de profissionais e gente de primeira!

Como era possível que alguém contratasse profissionais para roubar objetos pessoais de um húngaro que ninguém sabia quem era e que estava desaparecido fazia mais de dez anos sem que ninguém tivesse percebido? E isso, que não fazia o menor sentido, não era a única coisa que intrigava Pirilo. A visita que tinha recebido do advogado de Miami aumentou suas suspeitas. Depois de tantos anos trabalhando na polícia, ele já sabia quando alguém estava escondendo a verdade; e aquele gringo bem-vestido, com uma gravata que parecia valer mais do que um mês de seu salário, certamente, sabia mais do que contara.

Sentados ali na praça, em frente ao coreto, enquanto alguns atores se preparavam para uma apresentação teatral, Bebéi respondeu às perguntas de Pirilo e até tentou insistir na história da fotografia que tinha chegado numa carta da neta do húngaro, mas foi se confundindo tanto que não teve outro jeito e acabou por contar a verdade.

Pirilo escutou e até se mostrou interessado em visitar o apartamento de Bebéi, mas não aquela manhã. O dia estava tão agradável e, por mais interessantes que fossem os documentos encontrados, lhe parecia difícil acreditar que alguns papéis guardados dentro de livros antigos pudessem atrair a atenção de qualquer outra pessoa que não fosse Bebéi. Ele estava convencido de que não tinha sido por aqueles livros que os profissionais foram contratados para roubar o apartamento. E estava seguro também de que não eram notas e fotografias velhas o que aquele advogado gringo estava procurando.

Dioclécio Bergantin ainda comentou que aquilo que pouco interessa a alguns pode ser muito interessante para outros e, talvez, por esse comentário Pirilo tenha aceitado passar mais tarde pelo apartamento de Bebéi. Até aproveitou para telefonar a um de seus assistentes e pedir uma atenção especial na segurança do casarão.

O que ele não mencionou ao telefone, mas seu assistente entendeu muito bem, era que dar uma atenção especial significava colocar ali uma das novas câmeras que lhes permitiria acompanhar, da Prefeitura, quem entrava e saía do casarão amarelo.

As câmeras de vigilância eram uma novidade na cidade e poucos sabiam da sua existência. Segundo o irmão do prefeito, deveriam ser colocadas em alguns pontos estratégicos e, como Pirilo não tinha muito claro o que fosse estratégico em Santa Clara, ele apenas instalou algumas câmeras para testar o equipamento. Uma foi colocada na entrada da Rua das Francesas, e era a que mais atenção recebia de seus assistentes, que agora sabiam quem entrava e quem saía em visita às mulheres e aos cabarés. Outra foi instalada no campo de futebol depois do rio, onde alguns marginais se reuniam para planejar suas atividades e uma terceira em frente ao cais, onde passavam as turistas de short e camiseta. Como eram muitas as câmeras compradas, Pirilo ainda tinha outras para distribuir pela cidade e, depois daquele telefonema, uma delas foi para a esquina da casa de Bebéi.

Bebéi ficou por ali e aproveitou para assistir à exibição de teatro infantil. Segundo o que ele tinha escutado no Café da Ilona, aquilo era um teatro apenas para crianças, mas ele gostava; por isso todos os sábados ficava ali sentado, fingindo que conversava com Dioclécio, enquanto mantinha olhos e ouvidos atentos a tudo o que as atrizes e os atores faziam no coreto.

A apresentação daquela manhã foi tão boa que Bebéi, sorridente, decidiu ficar mais um tempo, escutando as conversas. E tudo o que escutava confirmava que as coisas caminhavam muito bem por ali. Os que tinham seus negócios estavam contentes e os turistas continuavam chegando para visitar a cidade. A pergunta que todos faziam era a mesma: por que o prefeito tinha decidido fazer toda aquela mudança?

– Acho que é a crise da idade – opinava José Princesa um dos que estavam ali conversando junto a Bebéi. – Desde que a amante jamaicana o abandonou por aquele rastafári que trabalhava de motorista na Prefeitura, o prefeito não é o mesmo. Passou um tempo com a loira da Câmara de Turismo, mas ela lhe colocou um par de cornos com aquele artista europeu... E digo mais: aquela finlandesa pode ser bonita e gostosa, mas é mais burra que uma porta – e continuava com seus trejeitos, que divertiam Bebéi. – Pelo que me contaram, o prefeito está para fazer uma cirurgia plástica para tirar as rugas e os olhos empapados. Não duvido que amanhã ele faça uma lipoaspiração e até que coloque uns peitinhos mais delicados como os meus. – E concluiu sorridente: – Acho que é a idade. Foi por isso que ele inventou essa história de uma nova Santa Clara.

Coronel Vieira, que antes de começar a beber fora um assíduo frequentador dos debates políticos da praça, também opinou:

– Quem manda aqui não é o prefeito; é aquela sérvia! – referindo-se à assessora que o prefeito contratara e que, antes, tinha sido enfermeira e, segundo alguns, amante do ditador líbio Gaddafi.

Muitos na cidade atribuíam à sérvia toda a estratégia neorrevolucionária que só aumentava a popularidade do prefeito. Ela quase nunca conversava com ninguém mas, pelo que diziam, era profunda conhecedora de Maquiavel e uma grande influência por detrás do trono.

– Que sérvia, o cacete! – quem dizia era Nullo Rompido, que ainda não estava bêbado e aproveitava para esticar um pouco as pernas, fazendo um esforço para não deixar cair suas calças mal amarradas na cintura. – Não é o prefeito nem a assessora – insistia ele. – Essa história de uma nova Santa Clara é uma coisa muito maior. Podem ter certeza de que o prefeito, seu irmão e seus amigos vão ganhar muito dinheiro ajudando os árabes com esse projeto – e todos escutavam com atenção, pois dessas coisas de dinheiro, sem dúvida, Nullo era profundo conhecedor.

Bebéi, entusiasmado com a conversa, até comentou que tinha escutado um comentário na Embaixada de que o ex-embaixador da França seria contratado pelos árabes para presidente do projeto. Contou também que a embaixadora tinha recebido instruções para apoiar o projeto, mas que toda aquela discussão sobre a nova cidade não era uma coisa que lhe interessava.

– Só o que interessa àquela nariguda – comentou Priscília, o cabeleireiro amigo de Lola Marlene e que também tinha se juntado à conversa – são as aulas privadas de meditação que tem com o Negro Zen. E, pelo que ela mesma comentou ontem, enquanto fazia seu cabelo, está furiosa com a nova academia da Lúcia. Parece que as mulheres de lá andam fazendo tantas sessões privadas de meditação com o Negro Zen que o gostosão safado já quase não tem tempo para ela.

Rasta Bong, que passava rapidamente por ali, sempre correndo entre sua barbearia e a cooperativa Bobo Ashanti, comentou que os rastafáris também estavam preocupados com o tal projeto:

– Eles acabaram de abrir o Centro Sailassie, com um enorme salão para concertos de reggae e, pelo que escutaram, o novo centro está bem no lugar onde querem construir a nova cidade. Entre os *brothers* rasta, essa nova cidade é uma *bad idea!*

Bebéi ainda ficou alguns minutos, mas finalmente decidiu se despedir e regressar ao seu apartamento. O cachorro já tinha passeado bastante e ele poderia aproveitar o resto do dia para tentar entender mais o arquivo do húngaro. Para sua surpresa, quando se levantou, o Coronel Vieira resolveu acompanhá-lo.

– Você tem de tomar muito cuidado. Já entraram no apartamento do húngaro e podem agora tentar entrar no seu. Eles têm microfones em todos os lugares. Pode estar certo de que amanhã tudo o que conversamos na praça será discutido em suas reuniões. É preciso tomar muito cuidado com os telefones e com tudo o que você fala nas ruas.

Bebéi escutava, pensando que o Coronel Vieira estava ficando tão louco quanto Robespierre.

Capítulo XI

A história que parecia um daqueles filmes que Bebéi via no cinema

Uma surpresa esperava Bebéi em seu apartamento: a resposta de seu amigo arquivista de Budapeste tinha chegado no seu computador. Enquanto imprimia, para ler com serenidade, ele colocou água e comida para o cachorro, deu uma rápida olhada no terraço para confirmar que a gaivota continuava ali, encheu um copo com seu vinho do Porto favorito e sentou-se na poltrona em frente à janela. A mensagem não era curta:

> *Caro amigo Bebéi, sinto falta dos tempos em que tínhamos escrivaninhas uma em frente à outra em Quai D'Orsay. Aprendi muito com suas perguntas; às vezes, elas enganam, porque parecem ingênuas, mas são mais profundas do que parecem. Ao ler sua carta com a história da chave no rodapé recordei que era você quem guardava a cópia da chave de minha escrivaninha. Nunca precisei dela, mas como você sempre dizia, no caso de precisar... a cópia estava*

sempre ali. A história de seu vizinho húngaro é fascinante e começo por dizer que ele não era húngaro e, sim, cigano.

Sua mãe Lali – ou Lalika, como Janus, seu pai, a chamava – foi uma dançarina cigana, assim como a Esmeralda daquele filme, O Corcunda de Notre Dame, *que assistimos juntos. Lembra? Como a dançarina do corcunda que vivia na torre da igreja do filme, Lali também dançava nas ruas, mas a seu lado não tinha um cabrito, como Esmeralda, e, sim, o filho, que tocava o violino e era o seu Arpad. Seu nome não era cigano e essa foi a única concessão que ela fez ao pai, Janus Corvinus, um jovem bem-educado, de uma família tradicional da elite húngara, que por ela se apaixonou.*

Pelo que percebi nas notas, ela também se apaixonou por ele, mas o pai de Arpad vivia nos palácios e o mundo de Lali era as ruas de Budapeste. Suas duas grandes paixões foram a música e o futebol. Também pelo que pude entender, ela sempre ia ao estádio quando a equipe do Ferencvarosi jogava e era amiga de Sarosi, um grande jogador da seleção húngara na década de 1930. Ela sonhava que seu filho fosse um grande atacante, mas ele nunca demonstrou a menor habilidade para isso e, como segunda opção, acabou sendo violinista. Foi ela mesma quem o ensinou a toca e, com cinco anos, Arpad já se apresentava ao seu lado nas ruas. Lali dançava tão bem que foi convidada para se apresentar em teatros e, entre os papéis do seu húngaro, está aquela nota do principal jornal de Budapeste à época, comentando o sucesso da apresentação dela no Teatro Erkell. Lali era bonita e era uma mulher livre. Pelo que Janus nos conta na carta que enviou ao filho, ela várias vezes lhe propôs que abandonasse sua carreira e fosse viver nas ruas ao seu lado, mas ele nunca teve coragem suficiente para isso. Como ele mesmo reconhece na carta: "Vou levar esse remorso comigo até o último dia da minha vida".

Janus era um dos jovens idealistas húngaros que trabalhavam com o Almirante Miklos Horthy. Todos unidos pelo sonho de reunir a grande pátria húngara separada e dividida pelo Tratado de Trianon. O pai de Arpad trabalhou mais de vinte anos com Horthy, ocupou várias posições e chegou a ser um de seus principais assessores durante a Segunda Grande Guerra.

Até os onze anos, Arpad viveu com sua mãe, jogando mal o futebol, tocando divinamente o violino e aprendendo a falar tantas línguas quanto aquelas que se escutavam nas ruas de Budapeste. Falava o romani dos ciganos, o húngaro, o alemão, o romeno e o eslovaco. Nunca frequentou a escola e apenas aprendeu a ler e escrever muito mais tarde, quando voltou da Sibéria, mas como seu pai mesmo escreveu, "Arpad tinha um instinto que ajudava a compreender as palavras mesmo quando ouvia pela primeira vez uma língua que jamais tinha escutado".

Em 1937, sua mãe ficou muito doente. Era tuberculose. No dia 19 de novembro, ela morreu no hospital. Segundo o próprio Arpad escreveu, foram tantas as mudanças na sua vida que ele precisou de muito tempo para compreender e sentir a sua morte. Conversou com seu pai, pela primeira vez, no hospital, ao lado do leito da mãe. Ele tinha prometido a ela que, se algo lhe acontecesse, ele cuidaria de Arpad. Junto com o pai, Arpad acompanhou o enterro de Lali e, na tarde daquele mesmo dia, entrou pela primeira vez no palácio onde seu pai vivia. Um palácio suntuoso. Tudo ali era novo para Arpad e a única coisa que ele levou consigo foi o violino, que tocava noite e dia sem parar. Seu pai o levou para conhecer a Grande Academia de Música de Budapeste, a Franz Liszt, conhecida e respeitada em toda a Europa, e onde, como escreveu seu pai na carta, "mal ele tirou o violino da caixa e começou a tocar, já lhe ofereceram uma bolsa para estudar com eles".

Descobrir a academia e o mundo da música clássica causou em Arpad tanto impacto que seu pai desistiu de lhe dar uma educação tradicional e resignou-se com o fato de que a única coisa que o filho poderia fazer na vida era tocar violino. Arpad, praticamente, viveu com o violino nas mãos, como se tocá-lo fosse uma obsessão que o ajudava a suportar a morte da mãe. Foi apenas no mês de junho de 1938, quando chegou o telegrama de Sarosi contando que eles tinham perdido a final do campeonato mundial de futebol para a Itália, que ele se conscientizou de que nunca mais veria uma partida de futebol ao lado dela. Só então toda a tristeza, que até aquele momento não havia sentido pela morte da mãe, da mãe explodiu em seu coração. Segundo ele mesmo escreveu, passou semanas sem tocar, em profunda depressão, até que foi ao cemitério onde ela estava enterrada e prometeu que iria tocar a "Dança Húngara número 5", de Brahms, a favorita de Lali, tão bem como ninguém no mundo antes tinha tocado.

A isso dedicou sua vida. E foi por isso que, alguns anos depois, quando Horthy foi a Salzburg para o famoso jantar com Hitler, levou consigo Arpad para que ele impressionasse o Führer tocando a "Dança Húngara". Não sei se você tem claro o que foi aquele jantar. Hitler era o todo-poderoso senhor da Europa e Horthy estava fazendo de tudo para evitar que ele invadisse a Hungria. Arpad chegou para tocar, a pedido de Horthy, e demonstrar o que podiam fazer os húngaros quando tocavam as composições alemãs.

Naquele jantar, Arpad, provavelmente, teve de escutar calado quando Hitler insistia que os húngaros deveriam ser mais ativos na eliminação dos ciganos e dos judeus. E como era violinista, respondeu com sua música. Naquela noite ele não tocou para Hitler como húngaro – muito menos como um nazista, coisa que nunca foi. Tocou como cigano, filho de Lali, uma cigana como tantas outras que Hitler vinha eliminando por toda a Europa. Naquele jantar, ele celebrou a vida de sua mãe, que dançava descalça pelas ruas de Budapeste, tocando a mais cigana de todas as composições do alemão Brahms. A dança cigana, como sua mãe a chamava, que poderia não ser a favorita de Hitler, mas, certamente, fora a favorita de Lali.

Por isso aquele convite era tão importante para Arpad. Para Hitler aquele jantar pode ter sido apenas uma farsa, pois, quando convidou Horthy para jantar em Salzburg, ele já tinha dado secretamente as instruções para a Operação Margarethe da invasão húngara; mas para Arpad aquela foi a noite em que, como cigano, ele desafiou o assassino responsável pela morte de vinte e oito mil ciganos que, como sua mãe, viviam em Budapeste. Por isso o convite mereceu uma moldura e ficou como destaque, posteriormente, na sua parede.

Outra coisa que também percebi, pelas notas, foi que, além de cigano, Arpad era solidário com os judeus. Em 1943, quando tinha apenas dezessete anos, ele se casou com uma mulher um pouco mais velha, de família judia, chamada Eszter Bider. Na Hungria, os judeus não foram tão perseguidos como em outros países da Europa, mas ainda que isso não esteja mencionado nas notas, é bem provável que ele tenha se casado com ela para protegê-la dos nazistas. Curioso, não? Foi o virtuosismo com que tocava o violino que lhe permitiu sobreviver como cigano e proteger Eszter. Imagine como ele devia tocar bem!

Os papéis que você me mandou incluem uma carta que

o pai escreveu depois de tê-lo escutado tocar em Salzburg: "Ainda que eu viva mil anos, vou guardar para sempre comigo a tristeza que senti ao escutar seu violino esta noite. Segui minhas ambições por toda a minha vida e deixei à margem do caminho meu coração e tudo o que encontrei foi a infelicidade. Hoje você me fez chorar como apenas uma criança consegue chorar. Seu violino ainda mantém nossa Lalika viva e eu lhe agradeço e congratulo-me com você por isso".

Após o fim da guerra, a Hungria foi invadida pelos soviéticos, em 1945. Horthy conseguiu escapar com vida, mas Janus foi executado na rua pelas tropas soviéticas. Arpad foi deportado para a União Soviética e, depois, para Kolima, na Sibéria. Por que o deportaram é difícil dizer. Talvez por ser filho de Janus ou por ter tocado para Hitler... Nunca saberemos. Foram seiscentos mil os húngaros deportados para os campos de concentração da Sibéria russa e apenas duzentos mil, os que regressaram.

Entre as notas também havia uma carta que o Almirante Horthy enviou a Arpad, em 1952, que nos dá uma indicação do que se passou depois da guerra. Na carta, Horthy congratulava-se com ele pelo nascimento de Morgen e dava a entender que fora Eszter quem, de alguma forma, o resgatara dos campos de concentração da Rússia. Menciona também que "depois de tudo o que se passou em Kolima" – sem explicar o que foi – "você não pode continuar encantando a todos com seu violino" e que por isso era muito importante aceitar o trabalho que seu amigo, "o embaixador", lhe estava oferecendo. Horthy também faz uma reflexão sobre tudo o que a nação húngara sofreu desde o final da Primeira Grande Guerra e diz que ainda que Arpad não pudesse mais defender sua pátria tocando a "Dança Húngara", seu pai se sentiria muito orgulhoso em saber que o filho estava lutando para reconquistar a liberdade de todos os húngaros. Pela carta não é possível saber que trabalho era esse, nem o que ele fez depois. Tentei também encontrar, aqui em Budapeste, algum registro, mas não encontrei nenhum.

Pelo que entendi dessas notas, ao regressar da Sibéria Arpad foi viver com Eszter em Berlim, onde nasceu sua filha. Mas não consegui entender o que ele fazia ali. Se você encontrar algo mais, por favor me envie, pois estas notas me despertaram a curiosidade de conhecer melhor a vida de seu vizinho Arpad. Como terá ele conseguido viver, se só o que sabia era tocar o violino e, depois da Sibéria, já não podia mais tocar?

Um grande abraço deste seu amigo arquivista de Budapeste.

P.S.: As notas marcadas com a letra P de Pasternak não pude ler, pois elas não estão em húngaro; estão em tcheco, idioma que não domino.

Capítulo XII

Bebéi parece um detetive, mas seus assistentes são dignos de uma tragédia

A carta do amigo arquivista contava a vida do húngaro, que fora cigano até o final da Guerra, e confirmava a teoria de Bebéi sobre a lógica do arquivo escondido entre as páginas dos vinte e seis livros. Era como se cada um dos livros daquela estante fosse uma gaveta onde ele arquivava algumas notas e papéis. Por que ele tinha feito aquilo ainda não estava claro. Escondia ele algum segredo? Mas, se era um segredo, por que teria colocado toda a informação organizada em um arquivo? E para quem ele havia preparado aquele arquivo?

Bebéi estava certo de que para cada letra existia uma palavra associada. Anotou em uma folha de papel o que já tinha descoberto de cada uma e o idioma em que as notas estavam escritas. Seu maior problema ainda era encontrar quem pudesse ajudá-lo a traduzir e compreender muitas delas.

A –	Auden	Francês	Argélia
B –	Boll	Espanhol	Barba Roja???
C –	Conrad	Francês	Congo
D –	Durrel	Espanhol	R. Dominicana?
E –	Elliot	Alemão	Eszter?
F –	France	Português	?
G –	Grass	Espanhol	Guevara
H –	Hesse	Húngaro	Horthy
I –	Ibsen	Inglês	?
J –	Joyce	Húngaro	Janus
K –	Kafka	Inglês	?
L –	Lawrence	Húngaro	Lali
M –	Marai	Inglês/Alemão	Morgen?
N –	Neruda	Russo	?
O –	Orwell	Alemão	?
P –	Pasternak	Tcheco	?
Q –	Quasimodo	Francês	Quebec?
R –	Rilke	Russo	?
S –	Szabo	Espanhol	Santa Clara?
T –	Tolstoi	Alemão	Tamara?
U –	Unamuno	Inglês	?
V –	Virgílio	Inglês	?
W –	Whitman	Inglês	?
X –	Xingjiang	O último livro	
Y –	Yeats	Russo	?
Z –	Zola		!!!

Ele havia lido as notas que estavam em francês e sabia que o A era de Argélia, o C de Congo e o Q de Quebec – três lugares onde, aparentemente, o húngaro tinha vivido. As notas em português do livro de Anatole France, certamente, estavam relacionadas à alguma coisa africana, de Angola e Moçambique, mas não estava claro o que havia ali com a letra F. Entre as anotações em espanhol, as do livro de Boll referiam-se a um tal Barba Roja, que Bebéi ainda não tinha a menor ideia de quem pudesse ser. A letra D parecia ser da República Dominicana e as notas faziam referência a um certo Juan Bosch e a alguns eventos ocorridos em 1963 naquele país. A letra G parecia ser de Guevara; incluía algumas cartas que Arpad recebera de Che contando o que ocorria na África e de uma mulher chamada Tamara. As notas do livro de Szabo também estavam em espanhol e todas elas estavam relacionadas a Santa Clara, o que parecia indicar que o S era do nome da cidade.

Os livros de Elliot, Marai e Tolstoi tinham notas em alemão e, pelo que Bebéi já conhecia da história do húngaro, elas provavelmente se referiam a Eszter Bider, sua mulher, a Morgen Corvinus, sua filha, e a Tamara, que deveria ser parente ou amiga bem próxima, já que era mencionada em todas as notas assinadas por Che Guevara. Havia um quarto livro, o de Orwell, no qual as notas também estavam em alemão, mas essas ele ainda não tinha ideia do que significavam.

O livro de Xingjiang não tinha notas, apenas a menção de que era o último livro que o húngaro leu. Bebéi até pensou em lê-lo, para ver se descobria algo, mas o livro era muito grande e ele se distraía rapidamente. No livro de Zola havia apenas a chave que agora estava com Irigandi. Nem ao Tenente Pirilo ele tinha mencionado esse "esconderijo" e, por essa razão, na página que preparou, ele não colocou a palavra chave e, sim, três pontos de exclamação.

Para as outras letras do alfabeto, ele ainda não havia descoberto nada e necessitava ajuda, pois algumas estavam escritas com aquelas letras estranhas, que, finalmente, ele descobriu tratar-se de russo e tcheco, e outras em inglês. Com o russo ele não teria problemas, pois Ludmilla poderia ajudar, mas ele não sabia como fazer para encontrar em Santa Clara alguém que conhecesse tcheco. Para traduzir as notas em inglês, poderia pedir ajuda a Paul, que era americano; mas Paul estava ocupado com os preparativos para sua viagem ao Oriente Médio. Bebéi sabia que para Irigandi aquelas viagens eram muito importantes e não queria incomodar. Outra opção seria Moriarty, mas ele não estava seguro disso, pois o velho hippie parecia viver em um mundo bem distante da realidade.

Ele precisava ser cauteloso e Pirilo também concordava com isso. Era importante evitar que aqueles que haviam roubado o apartamento soubessem que os documentos estavam com ele. Mas o primeiro passo era claro: tinha de começar pelas notas que estavam em alemão e para elas havia apenas uma alternativa. Sabia que era um risco contar a Frida sobre a existência do arquivo mas, por outro lado, ela era a única que poderia ajudá-lo. Por cautela, decidiu levar apenas algumas das notas que estavam no livro de Elliot: duas assinadas por Eszter Bider e uma que tinha o nome de Eszter ao início.

Havia uma quarta nota que parecia também ser sobre Eszter, mas era uma nota mais longa e Bebéi preferiu guardá-la no apartamento. Ele conhecia Frida e sabia que, quando o mau-humor a atacava, a Trotska jogava na rua tudo o que via pela frente, e ele não queria que nada acontecesse àquelas notas.

Na manhã do dia seguinte, quando estava na Embaixada, Bebéi recebeu um telefonema do escritório que administrava os bens do húngaro. Aparentemente, eles tinham sido informados de que ele estava com uma correspondência de um parente do húngaro e queriam mandar alguém para buscá-la. Bebéi, desconfiado, preferiu consultar Tenente Pirilo, que depois de ter conhecido o advogado de Miami estava ainda mais desconfiado do que ele.

– Não entregue nada. Como foi que eles souberam da carta? Traga a carta da neta do húngaro para mim e diga a eles que venham conversar comigo. – Depois de pensar um pouco, continuou: – E não diga a eles que você lhe escreveu. Vamos esperar e ver se ela responde. Então, decidimos o que fazer.

Naquela mesma tarde, quando saía da Prefeitura depois de deixar a carta com Pirilo, Bebéi encontrou a Senhora da Embaixada americana, que passava por ali acompanhando alguns empresários de seu país em visita ao prefeito.

– Ouvi dizer que o senhor agora é comunista. É verdade? – perguntou ela, sorrindo.

Ele, rapidamente, tentou explicar, esbaforido, que não era comunista, tampouco nazista, e que o convite de Hitler e a foto de Che pertenciam ao húngaro.

– É só uma brincadeira – disse ela, acalmando Bebéi. – É que já faz tanto tempo que o senhor não me visita nem me escreve... Cheguei a pensar que me tinha me esquecido – o comentário foi sincero, pois ainda que sempre estivesse envolvida com tensões e problemas que a ninguém podia contar, a elegante Senhora da Embaixada guardava um profundo carinho por duas pessoas em Santa Clara: o arquivista Bebéi e a velha Grená dos bilhetes.

Para entender a importância daquela amizade é bom voltar um pouco atrás e recordar que a sempre elegante Senhora era a chefe de uma enorme operação de inteligência do serviço secreto americano lançada pela Embaixada dos Estados Unidos em Santa Clara desde os tempos em que os americanos desconfiavam que o Condor tinha alguma relação com os terroristas da Al Qaeda. Foi ela também quem ajudou a esclarecer quem estava por trás do atentado ao Canal do Panamá, que quase causou um conflito entre americanos e chineses. Naquela tarde, estava apenas acompanhando o embaixador, que apresentaria ao prefeito alguns americanos interessados em conhecer o projeto da nova Santa Clara.

Foi apenas no final da tarde que Bebéi teve tempo para passar pelas escadarias das Mercedes e encontrar Frida. Quando chegou, ainda do outro lado da rua, percebeu que, por sorte, tudo estava relativamente tranquilo. O que já era muito, pois nunca nada estava completamente tranquilo por ali. Frida, de longe, até parecia estar sorrindo, mas no momento em que ele cruzou a rua, Heitor, o professor aposentado e maestro da banda municipal, gritou da porta da barbearia. Robespierre lhe havia contado sobre a fotografia do Che.

Bebéi sempre levava aquela foto no bolso, "para acabar de uma vez por todas com essa história de que o húngaro era nazista", explicava.

Heitor olhou a foto com emoção nos olhos. Che Guevara era um mito para aquele velho comunista. Mas o que mais lhe chamou a atenção não foi nem Che com uma expressão jovem e alegre, nem o húngaro Arpad, que ele havia conhecido como professor da escola. O que impressionou Heitor foi a jovem sentada entre eles.

– Essa é Tamara Bunke! – seu comentário surpreendeu Frida e Robespierre.

– E quem, diabos, é essa Tamara? – perguntou Frida.

– É uma argentina que o Che conheceu na Alemanha depois da revolução cubana. Alguns dizem que era a amante secreta dele; outros, que era uma agente infiltrada da Stasi, o serviço secreto da Alemanha Oriental. O que sabemos é que ela viveu um tempo em Havana e depois foi com ele para a Bolívia, onde acabou sendo presa e executada.

Heitor falava com visível orgulho de seu conhecimento. Como chefe da célula comunista de Santa Clara, ele nunca tinha feito absolutamente nada. Desde os tempos em que morreu Negro Barbeiro, o marido de Grená, que as reuniões da célula eram pouco concorridas. Mas ele nunca reclamou, pois pelo menos isso lhe deixava mais tempo livre para estudar o que acontecia no mundo do socialismo e até para saber quem era Tamara Bunke, a amante secreta de Che Guevara.

Bebéi comentou que o húngaro tinha algumas cartas do Che mencionando Tamara, o que entusiasmou ainda mais Heitor.

– E como você conseguiu essas cartas? – perguntou Frida.

– Eu não tenho as cartas – foi a resposta de Bebéi, ainda

tentando manter o segredo. – Quem tem é a neta do húngaro, mas ela já me mandou algumas.

E para que ninguém continuasse a fazer perguntas que não poderia responder, ele tirou rapidamente do bolso uma das cartas assinadas por Eszter Bider e a entregou a Frida, para que ela a traduzisse, o que, infelizmente, não foi tão simples, pois tiveram de esperar que alguém lhe encontrasse um par de óculos. Quando , finalmente, ela começou a ler, logo disparou uma pergunta:

– Seu amigo húngaro esteve em algum campo de concentração?

Bebéi, então, contou-lhe a história que seu amigo de Budapeste lhe havia contado.

Heitor escutava com expressão de surpresa e reclamou, em tom de brincadeira, com Coronel Vieira, que vinha chegando com um binóculo na mão:

– Coronel, nos tempos em que passávamos as tardes conversando na praça nada de interessante acontecia por aqui. Agora que me aposentei e passo o dia ajudando dona Lourdes a cuidar do jardim, vocês se metem com nazistas e até com a Segunda Guerra Mundial – e completou, sorrindo – e muito me impressiona que Vossa Senhoria, um fascista ortodoxo, converse com gente que conhece Che Guevara.

Frida, que também estava de bom humor, aproveitou para questionar:

– E, aproveitando, nos conte: que loucura é essa de andar com esse binóculo pendurado no pescoço?

Coronel Vieira ia começar a explicar quando Nullo se aproximou e, depois de soltar um enorme peido que saiu gaguejando pelas escadarias, reclamou:

– Por Deus! Como alguém pode se concentrar em peidar com toda esta gritaria?

Foi aí que Bebéi percebeu que traduzir aquelas notas com a ajuda de Frida e dos pelagatos, decididamente, não iria ser tão fácil quanto ele imaginava.

Capítulo XIII
O importante é garantir que a neorrevolução continue

A nova Santa Clara não era apenas uma especulação e, sim, um projeto bastante avançado. O prefeito de Santa Clara era bem conhecido de todos na cidade. Filho do respeitado dono da farmácia, não seguiu o exemplo do pai e, desde criança, desenvolveu a fama de mau-caráter que pouco o ajudou com os amigos, mas muito o ajudou na política. Depois de uma rápida carreira como vereador e puxa-saco dos políticos locais, conseguiu eleger-se prefeito.

No seu primeiro mandato estava tão entusiasmado em fazer negócios e enriquecer, que se esqueceu das atividades políticas e quase perdeu a reeleição. Conseguiu manter-se no cargo graças a uns quatrocentos votos que, segundo se comenta, foram obtidos com algumas manobras não muito religiosas de seu amigo italiano, dono da empresa de coleta de lixo.

Mas o prefeito era um homem muito inteligente e logo percebeu que, se queria continuar roubando, tinha de ser popular. Contratou, então, uma equipe de assessores para mudar sua imagem e implementar o que ele, orgulhosamente, chamava de sua "neorrevolução", como ele mesmo dizia, inspirada em Lampedusa: "Mudar para que tudo continue igual".

Com a nova estratégia, o que continuou foram os roubos e o que mudou foi a postura do prefeito; agora muito mais simpático com as pessoas que viviam na cidade. Enquanto Bebéi continuava buscando a ajuda dos pelagatos para entender o arquivo do húngaro, o prefeito se reunia com sua equipe para acertar os últimos detalhes do novo projeto.

A reunião foi na casa de praia do italiano do lixo que, depois das manobras de última hora para obter votos, ganhara mais prestígio junto ao prefeito. Era uma casa isolada, que utilizavam para seus retiros não tão espirituais quando não tinham tempo para viajar até a República Dominicana.

A privacidade era muito importante, pois algumas assistentes jovens e bonitas, também tinham sido convidadas para garantir um ambiente relaxado. Eles eram poucos: o prefeito, seu irmão e os dois principais sócios nos negócios – o italiano, dono da casa, e o romeno que, entre outras coisas, controlava as licenças dos bombeiros. Ali estava também a assessora sérvia, a estrategista do grupo, que, como bem dizia o irmão do prefeito, quanto mais velha ficava, mais jeitosa parecia.

Outro que estava com eles era um egípcio, El Waun, que atuava como representante local dos investidores da Arábia Saudita e que tinha sido o responsável por levar as jovens assistentes – todas escandalosamente lindas e loiras, de origem russa, que acompanhavam as reuniões, serviam bebidas e, quando requisitadas, ajudavam com outros tipos de divertimento, mas que não entendiam uma palavra sequer de tudo o que era discutido ali.

– Não podemos subestimar a oposição – dizia o prefeito, enquanto dava uma tragada no seu charuto, caminhando pela varanda da casa de cuecas largas, sem camisa, com sapatos e meias pretas, pois desde pequeno não gostava de pisar no chão descalço.

Alguns o escutavam deitados em redes, outros em confortáveis cadeiras de palha com almofadas coloridas. O ambiente era informal e o romeno, que era o mais agitado, escutava o prefeito com as mãos ativas acariciando a russa sentada no seu colo.

A estratégia neorrevolucionária era um êxito. Sua popularidade tinha aumentado e seus negócios continuavam crescendo e, pelo menos uma vez ao mês, o prefeito se refugiava com seus principais colaboradores para retiros como aquele onde, por dois ou três dias, faziam uma avaliação de suas atividades.

A decisão de manter o monopólio dos serviços de transporte marítimo de turistas com a Cooperativa Bobo Ashanti tinha desagradado os investidores espanhóis, mas tinha transformado o prefeito na reencarnação do Imperador Selassie entre os rastafáris locais. As atividades sociais também tinham aumentado e o prefeito participava com infinita paciência dos eventos da Liga das Senhoras Católicas que, lideradas por sua mulher, distribuíam aos estudantes sem recursos óculos comprados da ótica de seu irmão, uniformes comprados do filho do italiano e comida comprada através do romeno. Tudo, obviamente, financiado pelo orçamento da Prefeitura e superfaturado para gerar polpudas comissões.

A distribuição de alimentos se fazia nas feiras das terças e quintas, onde o prefeito, pessoalmente, entregava bolsas de alimentos a mães de famílias carentes, acompanhadas de um beijinho carinhoso no rosto. E não eram apenas as atividades sociais. Todos os dias, religiosamente, seguindo os conselhos da sérvia, o prefeito passava pela Praça da Catedral, onde estava instalada a tribuna pública para que todos pudessem expressar suas opiniões, e sempre ficava por ali pelo menos meia hora, escutando as reclamações e reivindicações de todos, que anotava com aparente consideração em um caderno que levava consigo e que, depois, passava a seus assistentes.

Como parte da estratégia de desenvolvimento turístico a Prefeitura distribuiu novas licenças para hotéis, restaurantes e cabarés

– obviamente, o pagamento de uma não tão pequena contribuição financeira – e autorizava rapidamente tudo o que fosse necessário para o bom andamento dos negócios.

O prefeito também apoiava as atividades culturais, entre elas a banda municipal. Assistia a todos os eventos sempre com um sorriso no rosto e desde que começou com sua demagogia, todos os espetáculos no Grande Teatro Colonial começavam com atraso, pois ele insistia em receber e cumprimentar a todos na porta do teatro.

Pelo menos uma vez por semana jogava dominó na praça com os aposentados e quando percebia que a praça estava suja, chegava com os empregados da Prefeitura, vassoura na mão, para limpá-la. É claro que sempre frente às câmeras de televisão, previamente alertadas pela assessora de relações públicas contratada pela Prefeitura que, pelo que contava Grená, já estava na fila para ser a futura primeira-amante.

Ele participava dos eventos religiosos e, durante toda a quaresma, acompanhava a mulher na novena da Virgem Maria, sempre com o cabelo já seco e penteado, depois da sauna tomada ao final da tarde com alguma de suas massagistas asiáticas.

Fazia tudo que fosse necessário para contentar sua gente e, como contrapartida pelo trabalho realizado, cobrava comissões e controlava todas as obras que se faziam na cidade, onde não havia um único contrato da Prefeitura do qual não saíssem comissões para o prefeito e para seus sócios, que por essa razão estavam ali, tranquilos, com aquelas belas modelos russas em um sábado de sol.

– A sérvia aqui ao meu lado – explicava o prefeito – está preocupada com Frei Bernardo e com toda esta confusão armada por suas denúncias sobre comissões, mas tenho minhas dúvidas se ela não está afrouxando apenas porque o padre é bonito e tem aqueles olhos azuis – disse, sorrindo para ela. – Por mim quero que ele se afunde com a sua pizzaria junto com aquela drogada da Gigi. Se não paga o que tem de pagar, não abre seu negócio.

A sérvia não entendia bem o comportamento do prefeito. Normalmente, ele aceitava suas sugestões, mas quando ela propôs ajudar o padre para que ele parasse de incitar as pessoas, ele não a escutou. Ela desconfiava que era por causa da Gigi, pois o prefeito sempre tinha feito o possível para se aproximar, sem êxito, da amiga de Ilona, mas como a sérvia tinha por princípio jamais questioná-lo em público, preferiu permanecer calada.

– Temos que ajudar os rastafáris com um novo salão de bailes – continuou o prefeito. – Eles estão contentes com o salão que têm, mas terão de sair dali com a nova cidade. Já conversei com meu irmão e vamos entregar a eles aquele depósito da Prefeitura no final da Rua das Francesas, onde os coreanos queriam fazer seu cassino. Me parece muito melhor entregar aos rastafáris, ainda que seja apenas temporariamente, para que não nos encham mais o saco. Depois encontraremos algo para os coreanos. O importante agora é manter todos em paz.

E continuava suas reflexões sobre o projeto:

– Já acertamos com o exército: eles vão construir uma academia nova lá para os lados do aeroporto; vão ter ali o dobro do espaço que têm hoje. Com isso acredito que já temos todo o tema dos terrenos resolvido – e, olhando para o egípcio, perguntou: – Não é verdade, El Waun?

– Sem dúvida... – respondeu o egípcio, que estava um pouco distraído com a mão no seio da loira que dormia a seu lado. – Já temos quase todos os terrenos comprados e estamos construindo um centro habitacional depois do aeroporto para todos aqueles que terão de deixar suas casas. Já tranquilizamos a todos e, particularmente, a primeira-dama, explicando que ninguém vai ficar sem moradia.

– Você falou quase todos ou todos? – perguntou o prefeito. – Quase todos não é suficiente. E se nos falta um? Como vamos construir todo o projeto se nos faltar algum terreno no meio?

– Não existe nenhum motivo para preocupação – insistiu o egípcio. – Já identificamos de quem é aquele pedaço que falta depois do forte. Estamos para fechar mais dois ou três acordos e logo estaremos prontos. Esteja certo de que tudo estará resolvido e poderemos começar a construção nas próximas semanas.

– Isso é fundamental! – insistiu o prefeito. – Não quero que este assunto dos terrenos nos complique o projeto.

– O caso do forte já está acertado com o Patrimônio Histórico – disse o irmão do prefeito, encostado na rede enquanto uma das russas lhe fazia a manicure. – Vamos fazer uma associação entre o setor público e o setor privado para reabilitar o forte. Vamos construir ali uma nova marina e, atrás, um centro comercial integrando o calçadão à beira-mar, a nova marina, o forte e os restaurantes do shopping center. Aquele forte em ruínas que hoje não serve para nada vai ser agora a entrada do shopping, onde estarão todas as lanchonetes. Podem imaginar? Comer um Big Mac vendo o forte e os iates na marina? Vai ser um luxo!

– Essa é a ideia – completou o prefeito. – Construir edifícios modernos em volta da cidade antiga com hotéis, cassinos e centros comerciais. Aumentar o calçadão e, lá no final, depois do hotel e do cassino que vamos construir com os árabes, levantar oito torres de sessenta andares. E depois o resort dos espanhóis, que vai ter campo de golfe por cima daqueles penhascos que dão para o mar. Do lado sul da península, depois da Rua das Francesas e do futuro salão de reggae dos rastafáris, vamos deixar os holandeses construírem seu hotel e seu cassino. No total vão ser quase duas mil novas habitações de cinco estrelas para turistas e mil novos apartamentos que serão vendidos aos estrangeiros. Imaginem o que isso significa, se hoje Santa Clara tem menos de duas mil casas. Quando tudo isso estiver construído, a cidade antiga vai ficar no meio, cheia de lojas e restaurantes, como um centro para passeio e divertimento. Que vão poder dizer aqueles pentelhos do Patrimônio Histórico quando toda a cidade estiver cercada de torres? Aí, sim, vamos poder fazer o que nos der vontade. E começaremos pela Praça da Catedral. Hoje, ali, são oito mil metros quadrados desperdiçados com pombas que cagam na cabeça dos turistas, velhinhos que jogam dominó e aquela garotada que passa o dia correndo e gritando com os cachorros. Um absurdo! Vamos cercar a praça de restaurantes e enchê-la de mesas para os turistas. E nada de restaurantes baratos! Ali na praça vamos colocar restaurantes caros, que tanto encantam aos turistas ricos. E os que hoje estão vivendo ali na cidade terão de mudar para outros lugares. Mas que podemos fazer? É o progresso... Tiveram a cidade para eles por tantos anos e não fizeram merda nenhuma. Agora é a nossa vez. Vamos fazer em cinco anos o que eles não fizeram em quinhentos.

O prefeito se entusiasmava sempre que começava a falar dos planos de sua nova cidade. Ele já tinha acertado com os árabes que as empresas construtoras de seus sócios participariam de todas as construções e eles já estavam até contratando engenheiros para ajudá-los.

– As principais embaixadas – continuava ele – já estão de acordo. Os chineses estão contentes, pois como estão construindo o novo estaleiro com os russos depois dos penhascos, terão todas as suas propriedades valorizadas. Os franceses estão felizes desde que contratamos seu ex-embaixador para ser o presidente de honra do projeto. Em sua santa ingenuidade pensam que com isso vamos dar a eles autonomia para decidir onde contratar os serviços. Os americanos já estiveram comigo e nossa estratégia com eles será a de prometer tudo o que queiram, até que a obra inicie. Depois daremos qualquer coisa para as empresas gringas e eles terão de ficar quietos. Mas é preciso manter os olhos bem abertos com a Senhora do serviço secreto, pois ela agora virou uma defensora da cidade. Mesmo assim não poderá fazer nada contra a decisão de seu governo... – E, depois de pensar um pouco, completou. – Mas, na dúvida, é melhor manter os olhos bem abertos. Os espanhóis estão tranquilos com seus hotéis e os italianos, deixamos na mão de nosso amigo aqui – e apontou para o italiano – para que ele negocie um acordo. O que temos de fazer agora é passar todas estas novas leis que pedi a meu irmão para preparar e que vão facilitar a imigração de gente rica e cancelar os acordos internacionais de deportação que o país assinou no passado. É muito importante criar condições para que os estrangeiros, bandidos ou não, venham viver aqui. Não vamos perguntar de onde vêm nem o que fizeram para ganhar dinheiro. Se querem viver em Santa Clara, não tem problema, vamos protegê-los... – e acrescentou sorrindo – ...desde que paguem uma boa comissão pela autorização de residência.

Enquanto isso se passava, no Café da Ilona a oposição ao projeto se reunia. Somando todos, não chegavam a dez pessoas. E ali ninguém tinha dinheiro. Frei Bernardo tentava convencer Ilona e Rasta Bong a alugarem uma boa impressora para que Jordi e ele pudessem lançar uma publicação semanal alertando a todos que viviam na cidade dos subornos que tinham de pagar. O dinheiro não era muito e, certamente representava um sacrifício, mas o frade justificava cheio de entusiasmo.

– Se não fazemos isso, não teremos como resistir ao prefeito.

Capítulo XIV
O húngaro foi à Berna, mas quem fez o milagre foram os alemães

Foi apenas na noite de sexta-feira que, sentados na sala do apartamento de Bebéi, ele, Frida e Heitor conseguiram montar o quebra-cabeça das notas em alemão do arquivo de Arpad. Tinham avançado bem pouco nas escadarias da Igreja das Mercedes e Bebéi preferiu propor aos dois que fossem ao seu apartamento. Ali teriam um bom vinho, condição fundamental para que Frida aceitasse a proposta, e tranquilidade, pois no terraço a gaivota e o cachorro permaneciam em silêncio.

Para Heitor, o velho comunista, ajudar Bebéi a entender o que dizia uma nota escrita pelo Che e conhecer os segredos do relacionamento de Tamara com ele valia mais do que qualquer coisa que ele havia feito em duas décadas como chefe da célula comunista clandestina da cidade; e Bebéi tinha um carinho especial por ele, pois foi desfilando com a banda do maestro Heitor que ele tinha feito sua entrada triunfal em Santa Clara.

– Quando a guerra terminou, Arpad foi deportado, Eszter aparentemente fugiu para a Alemanha Oriental e foi viver em Berlim, onde estava sua mãe – explicou Frida, depois de ler uma das notas.

– Imaginem o que deveria ser Berlim ao final da guerra – comentou Heitor. – Uma vez vi um filme do Rosselini que mostrava a cidade completamente destruída naquela época...

– Pelo que entendi – continuou Frida, que não estava disposta a perder tempo falando sobre cinema – Eszter entrou no partido comunista alemão para poder encontrar Arpad. Ela sabia que ele tinha sido deportado para a União Soviética e não tinha como encontrá-lo. Segundo o que ela mesma escreveu, foi graças ao partido que ela conseguiu sobreviver e descobrir onde ele estava preso.

Frida continuou lendo mais algumas linhas e comentou:

– Esta carta foi enviada por Eszter, ao final de 1947, e ele foi deportado em 1945, o que significa que seu vizinho passou dois anos congelando nos campos de concentração do Gulag. A carta foi escrita durante o inverno e não consigo imaginar como ela fez para viajar até Kolima, na Sibéria russa, em pleno inverno, para encontrá-lo. Apenas sabemos, pelas notas que Arpad escreveu, que ela foi buscá-lo no campo de concentração.

– Quando foi que ele aprendeu a escrever? – perguntou Bebéi. – Meu amigo de Budapeste disse que ele nunca foi à escola e que apenas sabia tocar o violino.

Frida tentou responder:

– Creio que ele aprendeu quando regressou a Berlim e foi viver na casa da família de Eszter. Na nota que escreveu mais de seis anos depois, em 1954, ele menciona que, como não podia mais tocar o violino, teve de aprender uma nova profissão e que foi Eszter quem ensinou "tudo o que eu tinha de aprender para poder trabalhar". Não sei o que significa isto de "tudo o que tinha de aprender", mas imagino que isso incluía saber escrever. – E, como estava muito bem-humorada, talvez pela qualidade do vinho francês que estava tomando, presente da embaixadora a Bebéi, ela aproveitou para brincar: – Veem como são as mulheres alemãs?

Cruzam a Rússia para salvar seus homens na Sibéria, sustentam, ensinam como trabalhar e até lhes ensinam a escrever!

Heitor aproveitou a interrupção para perguntar se naquelas notas aparecia algo a respeito da amante de Che. Frida comentou que não havia nenhuma menção a Tamara nas cartas de Eszter, mas que nas notas escritas por Arpad ele dizia que "em 1952 os Bunken chegaram a Berlim e foram viver conosco".

– Mas existe algo muito importante antes disso – comentou Frida. – Em 1951 nasce a filha de Arpad e Eszter, e eles lhe dão o nome de Morgen. Ele até escreveu em suas notas "ainda que seja filha de mãe alemã e judia, Morgen tem na cor da pele e dos cabelos todos os traços de sua avó cigana".

– Nasceu Morgen em 1951 – continuou Frida –, chegou Tamara em 1952 e, em 1954, Arpad regressou a Budapeste. E fez isso por uma partida de futebol. Os "magiares", como escreve Arpad, eram a melhor equipe de futebol do mundo e iriam receber os ingleses para uma partida de preparação para a Copa do Mundo.

Heitor e Bebéi olharam para Frida surpresos, sem entender por que um jogo de futebol era tão importante.

– Pelo que seu amigo de Budapeste escreveu – continuou Frida –, as duas coisas que recordavam sua mãe eram o violino e o futebol e, nas notas de Arpad, ele mesmo escreveu: "Talvez não me lembre de memória todas as notas da 'Dança Húngara', mas jamais esquecerei a equipe de Grosics; Buzanski, Lorant e Lantos; Bozsik e Zacharias; Toth, Kocsis, Hidegkuti, Puskas e Czibor".

Frida se divertia com aquela menção ao futebol e continuou lendo as notas, que incluíam uma escrita por Arpad a Eszter:

> *Sei que para Otto parece um absurdo regressar a Budapeste para um jogo de futebol e agradeço muito a ti e a ele por me ajudarem a realizar este sonho. Para mim era muito importante. Ganhamos em Wembley, mas desta vez o jogo foi em Budapeste, na nossa Hungria. Antes do jogo*

caminhei pelas mesmas ruas em que caminhava com minha mãe. Estou certo de que ela também estava ali ao meu lado. Nunca vi celebração igual em Budapeste. As recordações que eu tinha guardadas na memória eram tristes – minha mãe dançando nas esquinas, os soviéticos chegando na rua onde meu pai foi executado e o edifício onde me prenderam – mas ontem foi diferente. Dos dois lados do rio as pessoas sorriam. Você não pode imaginar o que foi! O estádio não estava cheio. São muitas as restrições e muitos os que têm medo. Mas são também muitos os que queriam celebrar e gritar com alegria por nosso país. E nossos magiares não decepcionaram. Do início até o final foi uma festa húngara. Fizemos sete gols contra apenas um dele e, depois do jogo, saímos pelas ruas para celebrar. Como gostaria de poder ter tocado o meu violino! Estou certo de que Lali sairia de onde está para dançar nas ruas de Buda. "Do resto" não lhe posso dizer muito. Os soviéticos estão por todos os lados. Nagy tenta fazer algumas reformas, mas são poucas as esperanças.

– Quem era esse Otto? – perguntou Bebéi.

Frida tentou responder:

– Pelo que nos dizem estas notas, um grande amigo, que ajudou muito aos dois. Eszter trabalhou para ele desde que chegou a Berlim e foi ele quem a ajudou a encontrar Arpad na Sibéria. Foi Otto também quem, mais tarde, quando os dois viviam em Berlim, conseguiu um emprego para ele e quem ajudou a regressar a Budapeste para ver os húngaros derrotarem os ingleses.

– Curioso... – disse Heitor. – Sair da Alemanha Oriental e ir a Budapeste não devia ser fácil naquela época. Se esse Otto ajudou Arpad é porque era alguém muito importante. Esse Nagy, que ele menciona na nota, foi o húngaro que liderou a revolução de 1956 contra os soviéticos.

Enquanto escutava Heitor, Bebéi pensou que, provavelmente, era Otto a palavra-chave do livro de Orwell.

– O futebol lhe deu alegrias, mas também uma grande tristeza – disse Frida, interrompendo os pensamentos de Bebéi. – Ouçam o que ele escreveu:

> *Depois do jogo de Budapeste contra os ingleses, a equipe húngara viajou para a Suíça, para jogar a Copa do Mundo como grande favorita. Na primeira fase vencemos facilmente os alemães, os coreanos e os turcos. Depois derrotamos as duas grandes equipes sul-americanas finalistas da copa anterior, Brasil e Uruguai, e apenas nos faltava a partida final, na qual a Hungria teria de vencer, mais uma vez, os alemães para ser, finalmente, a campeã do mundo.*

– O jogo foi em Berna, na Suíça – explicou Frida. – Arpad outra vez foi assistir à uma partida graças a Otto e dessa vez levou Eszter com ele. Segundo ele mesmo descreveu:

> *...chovia e o que se jogava ali não era futebol e, sim, uma guerra. O primeiro tempo terminou empatado. Os húngaros atacaram com toda a força de Puskas e Czibor, e os alemães resistiram. A seis minutos do final, o alemão Schaefer cruzou para Rahn, que atirou de longe e fez o gol: 3 x 2. Os húngaros ainda fizeram um gol, mas o árbitro considerou que Puskas estava impedido e o anulou. Éramos os favoritos, mas os alemães conseguiram um milagre em Berna: Alemanha, campeã do mundo. Por mais que eu tenha sofrido na Sibéria, creio que o dia daquela partida foi o pior dia de toda a minha vida e do que me recordo bem é da reação de Eszter: ela tinha todo o direito de estar feliz, pois eles eram alemães como ela, mas estava triste e me consolou com um abraço. Quando saímos do estádio, caminhamos por horas e ela me guiou até a estação, de onde regressamos a Berlim. Não me recordo de nada mais naquele dia. Apenas de que regressamos a Berlim, onde os alemães estavam em festa, mas Eszter estava triste ao meu lado.*

– Pelo que percebemos – comentou Frida, querendo avançar

na discussão do que fazia Arpad –, a grande paixão do húngaro, depois que regressou da Sibéria, foi o futebol. Não tocava mais o violino – a razão disso ainda não sabemos – e tanto ele como Eszter continuavam trabalhando com Otto, mas não está claro o que faziam nem onde trabalhavam.

– Talvez isso seja compreensível – disse Heitor – depois de viver a Grande Guerra e ver seu país invadido pelos alemães e pelos soviéticos, e depois também de passar quase três anos em um campo de concentração na Sibéria, não me surpreende que ele não se interessasse mais pela política.

– Quem se interessava por política parecia ser Eszter – disse Frida –, e isso é curioso pois, pelo que ele mesmo menciona, ela era uma comunista rebelde. Em uma das notas, ele escreveu:

> *...no princípio ela defendia o que se passava na Alemanha Oriental, mas era muito crítica à ingerência dos soviéticos em tudo o que se decidia em seu país. Não comentava isso com todos, mas as discussões com Otto sobre esse assunto eram cada vez mais frequentes.*

Nesse momento, eles foram forçados a interromper sua conversa, pois Jordi chegava ao apartamento para ver Bebéi e perguntar pela gaivota.

Jordi também trazia novidades: Ilona e Rasta estavam de acordo em alugar a impressora e eles estavam prontos para começar com o jornal. Jordi estava feliz, mas naquele momento nenhum dos três estava interessado nos planos do jornal, ainda mais sabendo que Bebéi tinha outra carta que Frida ainda não havia lido. Era uma carta extensa, escrita por Arpad a Otto, que por alguma razão nunca havia sido enviada, ou talvez houvesse sido enviada e, por alguma razão, tinha sido devolvida a Arpad.

Antes de ler, Frida pediu outra garrafa de vinho. A carta prometia ser interessante. Fora escrita ao final de 1956 e contava como Eszter morreu.

Capítulo XV
A morte de Eszter nas barricadas, lutando contra tanques de Moscou

"*Caro amigo Otto...*", assim começava a carta que Frida traduziu naquela noite. É irônico pensar que naquela mesa, ao lado de Bebéi, estavam uma bêbada, que em sua juventude pensou em mudar o mundo colocando bombas em estações de trem, um velho comunista, que por toda a vida pensou em construir uma sociedade mais justa e que apenas conseguiu ser um bom marido, e um jovem, Jordi, que celebrava seu primeiro emprego, acreditava no poder das demonstrações e que apenas se lembrava do húngaro como aquele professor de música que, às vezes, parava confuso diante dos alunos, esquecido do que estava fazendo.

O húngaro nunca tinha sido importante em Santa Clara e as poucas pessoas que um dia chegaram a notá-lo, passando calado a caminho de casa, jamais poderiam ter imaginado que aquele homem solitário, que vivia no segundo andar do casarão amarelo, tinha passado por tudo o que passou e tinha escrito uma carta como aquela.

É muito difícil, para mim, escrever, mas não tenho alternativa, pois não tenho coragem para encontrá-lo. Você sempre soube que discordávamos de algumas de suas ideias e posições. Foram muitas as discussões que presenciei entre você e Eszter. E, ainda que reconhecendo o direito de discordar, não tínhamos o direito de trair. Mas a verdade é que o traímos e tudo acabou muito mal. Sei que se não fosse seu apoio, não teríamos conseguido sair de Budapeste e regressar a Berlim. Graças a sua amizade sobrevivi; Eszter não. Ela já não está mais conosco e antes de morrer me fez jurar que lhe diria que você foi tão importante para ela como Morgen e eu. E disse mais: no trem, ferida, quando regressávamos, ela disse que o futuro nos contará quem está certo, mas que, seja quem for que tenha razão e seja em que parte do universo cada um de nós esteja, nossa amizade, nosso agradecimento e nosso respeito por você serão eterno. Eszter me pediu também que lhe contasse tudo o que aconteceu e é por isso que lhe escrevo esta carta.

Já por muito tempo estávamos mantendo contato com nossos amigos de Budapeste e fizemos isso escondidos de você. Eles pensavam, como Eszter, que era muito importante para nossos países libertar-se do domínio soviético. Ela mesma lhe disse muitas vezes que jamais poderíamos seguir as políticas necessárias para nosso país, pois somos sempre forçados a priorizar o que é importante para eles. Estávamos acompanhando, ainda que de longe, a luta de nossos amigos contra o Governo de Rakosi e, no mês de julho, quando ele renunciou, o entusiasmo de todos, especialmente, de Eszter, foi tão grande que ela passava todo o tempo procurando alguém que pudesse contar as últimas novidades do que estava acontecendo em Budapeste. Imagino que agora você entenda o porquê das discussões tão violentas que tiveram desde então. Eszter não lhe contava, pois sabia que, pela posição que você tem, não poderia guardar em segredo o que ela pensava, mas toda sua paixão estava ao lado de nossos amigos de Budapeste. E você conhece, tão bem como eu, a força das paixões de Eszter. Sempre que quis algo, ninguém a conseguiu parar. Hitler não a queria judia e ela resistiu. Horthy não a queria comunista e ela não se importou. Os soviéticos me queriam morto e ela me salvou; e ainda que você, nosso maior e mais querido amigo, a quisesse uma comunista disciplinada e respeitadora das decisões do partido, Eszter se rebelou. Ela nunca aceitou imposições. Acho até que tinha um pouco do sangue cigano de minha mãe e que foi por isso que tanto a amei.

A cada semana que passava ela ficava mais inquieta até que um dia lhe propus que fôssemos a Budapeste. Ela estava tão entusiasmada que, mesmo sabendo que o risco era grande, decidimos viajar. Tamara podia ficar cuidando de Morgen e nossos amigos nos ajudariam a cruzar as fronteiras. Não lhe contamos, pois sabíamos que nunca nos permitiria viajar. Sabíamos que era uma traição, mas, talvez, vivendo de perto tudo o que acontecia em Budapeste, ela pudesse entender melhor o que significava se libertar dos soviéticos e aí, quem sabe, ela conseguiria convencê-lo. Ela sempre soube que você jamais poderia fazer o que estávamos fazendo e sempre acreditou que, no fundo, você tinha as mesmas dúvidas; apenas seu espírito disciplinado e germânico, como ela dizia, jamais lhe permitiria questionar o partido.

Decisão tomada, passamos meses nos preparando. Apenas em outubro conseguimos partir e viajamos de trem por todo o final de semana para chegar à Praga e dali à Budapeste, onde chegamos na manhã de 22 de outubro. Você pode imaginar o que foi para Eszter, depois de tantos anos fora do país, regressar à Budapeste exatamente naquela segunda-feira? Por sorte, dormimos muito no trem, pois depois daquele dia foram poucas as noites de sono que tivemos. Chegamos bem cedo. Eu tinha estado em Budapeste para o jogo de futebol contra os ingleses, mas Eszter não. Passamos o resto da manhã passeando pela beira do rio, mas no início da tarde já era impossível continuar caminhando. A excitação era enorme. Em todo lugar jovens se reuniam para discutir a lista de reivindicações preparada pelos estudantes da Universidade Técnica. Ali estava escrito tudo o que os húngaros queriam e nunca tinham tido a coragem de dizer. O primeiro ponto pedia a retirada das tropas soviéticas de todo o território húngaro. Propunham eleições secretas para todas as posições do partido e eleições diretas para a Assembleia Nacional. Como pode imaginar, Eszter estava eufórica, pois era exatamente aquilo que ela sempre lhe propusera para a sua Alemanha. O documento, com dezesseis itens, também propunha levar a juízo todos aqueles que cometeram crimes contra a democracia e incluía dois pontos emblemáticos: a remoção imediata da estátua de Stalin e a remoção da estrela comunista, que representava o domínio soviético, da bandeira húngara.

Como nossos amigos eram jornalistas, passamos aquela noite no sindicato, fazendo planos para o dia seguinte. Os jornalistas estavam planejando junto com os estudantes uma demonstração diante da estátua do General Joszef Bem, um dos heróis da revolução húngara de 1848. Imagino que você conheça. É aquela que está em Buda, na beira do Danúbio.

Acordamos na terça bem cedo para preparar a manifestação. Os mais otimistas diziam que seríamos mais de mil pessoas na praça e, ao início da tarde, quando chegamos, eram tantos os que ali estavam que parecia um sonho. Alguns diziam que éramos mais de vinte mil pessoas e, por onde você olhasse, mais gente vinha chegando. Primeiro falou Veres, pelos jornalistas, e depois alguns estudantes da Universidade leram os dezesseis itens da declaração.

A emoção tomava conta da praça e, para onde quer que olhássemos, gente e mais gente vinha chegando com bandeiras. Era como se toda a Hungria estivesse unida em seus pensamentos e a cidade outra vez fosse nossa. Era impossível resistir à euforia que tomou conta de todos quando, pelos alto-falantes, começamos a escutar os versos de "Nemzeti Dal", o poema escrito por Petofi depois da revolução de 1848. "Até hoje fomos escravos", gritávamos todos. "Nossos antepassados escravos que livremente viveram e morreram em solo de escravos não podem mais descansar." Eszter, sua amiga alemã e judia, estava ao meu lado, em pranto, declamando "Ao Deus dos húngaros te juramos. E juramos que jamais voltaremos a ser escravos". E todos ali, eufóricos, agitávamos as bandeiras depois de anos de passividade e silêncio em que nos limitamos a observar os soviéticos entrando e saindo de nosso país como se fôssemos um povo sem dignidade. Estávamos ali, naquele dia, fortes como o sol que nos iluminava, corajosamente desafiando os soviéticos que executaram meu pai, que me deportaram para a Sibéria e que mantiveram meu país no cativeiro por mais de dez anos. Minha pele e meu peito estavam a ponto de explodir e Eszter, ao meu lado, era toda pranto e sorrisos.

Escutar a todos na praça recitando juntos os versos de Petofi era como se todos fôssemos Puskas e os magiares entrando em campo para defender nosso país. A nossa pátria húngara, de que meu pai tanto falava e que foi destroçada pelo Tratado de Trianon, estava ali naquela praça se fazendo presente.

Bem a nosso lado, um jovem estudante cortou com uma tesoura a estrela soviética que estava no centro da bandeira. Foi bem a nosso lado e vimos quando ele fazia isso. Quando ele começou a agitar a bandeira com aquele buraco no meio, todos começaram a imitá-lo e, em poucos minutos, por toda a praça só o que se via eram as bandeiras tricolores húngaras com aquele buraco no meio voando sobre nossas cabeças. Éramos tantos que já não cabíamos mais ali. Olhando o rio, se viam bandeiras em todas as pontes e mesmo do lado de Pest. Eszter quis sair caminhando, e cruzamos a ponte em direção ao Parlamento. E, pelo que anunciava o rádio, já éramos mais de duzentos mil manifestando-nos nas ruas. Você consegue imaginar o que foi isso, depois de anos de opressão e silêncio? Duzentas vezes mais do que esperávamos quando saímos aquela manhã do sindicato empunhando nossos cartazes e bandeiras. E não era como as demonstrações que fazemos aqui, onde você sabe exatamente quantos são, quem são e até que hora temos de permanecer. Ali a demonstração não era uma imposição do partido e, sim, um grito que saía de dentro do coração da cidade.

Às oito da noite escutamos pelos pequenos rádios, Gero condenando o movimento. Escutá-lo foi escutar o governo odiado dizendo que não reconhecia o que estávamos gritando nas ruas, e foi naquele momento que aquela massa de gente decidiu tomar a justiça em suas próprias mãos. Um dos dezesseis itens da reivindicação já estava atendido, pois com as mãos e com as tesouras, o símbolo soviético tinha sido extirpado da bandeira húngara, mas faltava outro: derrubar a estátua de Stalin. E aquilo que de manhã poucos teriam tido a ousadia de imaginar começou a ocorrer bem ali, diante de nossos olhos. A multidão, com suas próprias mãos, colocou abaixo aquela enorme estátua. Ainda não eram dez da noite e a estátua já estava no chão e Eszter, sua amiga querida Eszter, foi uma das mulheres que colocaram a bandeira húngara sem a estrela soviética tremulando no que antes eram as botas da estátua do ditador.

A cada minuto chegava alguém contando sobre um novo enfrentamento. Foi quando percebemos que as coisas estavam tomando um rumo violento. Escutamos tiros e apareceram os primeiros veículos de polícia incendiados. Acho que ninguém em Budapeste pode dormir aquela noite. Foi uma longa noite de escaramuças entre manifestantes e polícia e, o que não sabíamos, foi também uma noite em que Gero solicitou apoio dos soviéticos para reprimir as manifestações.

Às três da manhã sentamo-nos no apartamento de um dentista, de cujo nome não me recordo, para compartilhar um pedaço de queijo com pão, a primeira coisa que colocávamos no estômago naquele dia. Foi apenas aí que percebemos, do terraço do apartamento, os tanques soviéticos entrando na cidade. O rádio nada dizia e ninguém sabia o que fazer. Decidimos ficar ali e esperar o sol da manhã antes de nos arriscar a voltar à rua e, quando saímos do apartamento, tudo estava em silêncio. Os soldados soviéticos e seus tanques nos olhavam das esquinas e a cidade estava completamente tomada.

Chegamos a pensar que tudo estava perdido e que o dia anterior havia sido apenas um sonho, mas quando reencontramos os primeiros amigos percebemos que ninguém estava disposto a aceitar que o sonho havia terminado. Pouco a pouco apareceram as primeiras barricadas e foram os estudantes que tomaram a iniciativa. Tudo o que haviam conhecido desde a infância era a guerra e a invasão soviética. Pela primeira vez estavam experimentando o doce sabor de poder lutar pela liberdade e não iriam se entregar tão facilmente. Foi incrível o que aconteceu! Ninguém estava preocupado em morrer. Confesso que houve momentos em que tive um pouco de medo, mas acho que fui um dos poucos. Todos ali queriam continuar lutando até a morte e, agora percebo, era esse o sentimento que movia Eszter.

Alguém passou dizendo que alguns estudantes estavam distribuindo armas roubadas de um depósito da polícia e, sem que tivéssemos tempo de pensar, Eszter e eu já estávamos em uma das barricadas, preparando e distribuindo coquetéis Molotov. E Eszter tinha uma pistola com ela. A cada hora que passava, alguém contava de uma nova vitória. Um tanque incendiado, uma rua retomada e parecia que ninguém nos poderia parar. Não sabíamos que entre as tropas soviéticas havia instruções para evitar enfrentamentos e chegamos a pensar que éramos nós que os estávamos intimidando. Foi outra noite de lutas intensas e alguns entre nós chegaram a desconfiar de que os soviéticos nos estavam jogando contra a polícia húngara; mas ainda que fosse assim, nada importava, pois estávamos reconquistando a cidade.

Quando o sol outra vez voltou a iluminar a cidade e a névoa se dispersou, Eszter e eu estávamos em uma barricada em frente ao Parlamento. Foi ali que escutamos que o governo húngaro tinha caído e que seus principais ministros tinham fugido para o aeroporto e, dali, para Moscou. Parecia outro sonho. Pelo rádio escutamos que estavam formando um governo revolucionário liderado por Nagy. Você sabe bem que as ideias de Nagy representavam para Eszter uma nova esperança. E ela não era a única. Ainda cansados por dois dias de enfrentamentos, um enorme entusiasmo tomou conta das ruas de Budapeste. Os tanques tinham dificuldade em movimentar-se pelas ruas estreitas, onde eram presas fáceis dos coquetéis Molotov jogados dos terraços dos apartamentos; e como os soviéticos não tinham ordens de disparar, eles não tinham como se proteger e muitos tanques optaram por buscar posições defensivas em lugares mais protegidos.

Os combates nas ruas seguiram por todo o final de semana. Ninguém sabia muito bem quem estava dando as ordens e tudo era um caos. Sabíamos que o novo governo estava tentando coordenar as milícias. Ninguém sabia em quem confiar até que, finalmente, no domingo, anunciaram o cessar-fogo e, na segunda-feira, depois de toda uma semana em Budapeste, foi a primeira noite em que nós dois dormimos em um quarto e em uma cama.

Despertamos no outro dia felizes, como fazia muito tempo não despertávamos, e Eszter estava especialmente linda naquela manhã. Tomamos o café da manhã na casa de uma senhora chamada Lusja, professora de uma escola primária, que estava feliz, pois sua Hungria finalmente estava livre. Foi naquele café da manhã que Eszter e eu decidimos que apenas voltaríamos a Berlim para buscar Morgen e que iríamos viver em Budapeste para provar que era possível construir uma sociedade socialista e humana sem ter que obedecer às instruções do Politburo soviético.

A vida voltou a normalizar-se e, na terça-feira, já se notava que a maioria dos tanques soviéticos tinham saído de Budapeste.

Chegamos a participar de reuniões com os membros do novo governo, para discutir a reorganização da cidade, e alguns detalhes como quem iria tomar conta das novas escolas e até quem seria responsável por recolher o lixo. Todos estávamos eufóricos e não sabíamos que, enquanto sonhávamos, os soviéticos estavam preparando seu exército para uma nova invasão, dessa vez com muito mais organização e muito mais força.

Trabalhamos toda a semana como se fôssemos cidadãos de Budapeste e chegamos a escrever a Tamara dizendo que voltaríamos para buscar Morgen. Mas chegou o sábado. Os militares soviéticos convidaram uma delegação do novo governo para negociar os termos de sua retirada do país e, para surpresa de todos, quando a delegação foi ao encontro deles, foram todos presos. No domingo, 4 de novembro, os tanques soviéticos entraram outra vez na cidade. As milícias não estavam nas ruas e os principais líderes do movimento estavam presos. Por todos os lados discutíamos nossas opções e essa ansiedade continuou por toda a noite, até que às seis da manhã escutamos, pelo rádio, Nagy fazendo um apelo desesperado. O país estava sendo tomado e já não sabíamos o que fazer.

Alguns tentaram resistir. Se já havíamos derrotado os tanques soviéticos uma vez, poderíamos repeti-lo. Não sabíamos que as instruções dos soldados soviéticos eram outras e as poucas pessoas que tentaram se aproximar dos tanques com Molotovs foram atingidas... entre elas, a nossa Eszter. Não posso lhe contar como foi, pois não estava a seu lado. Fui com um grupo buscar algumas armas que estavam escondidas com nossas milícias e, quando regressei, ela estava ferida e sangrava. O que aconteceu depois, você já sabe. Entrei em contato contigo e, graças à sua ajuda, conseguimos tomar um trem para regressar. Mas a bala que estava no corpo de Eszter tinha chegado muito perto do pulmão e ela não resistiu. Chegamos a Praga no dia 8 e lembro-me que, ao chegar, escutei que Janus Kadar estava assumindo o governo com o apoio dos soviéticos. E, no dia seguinte, Eszter morreu, antes de chegar a Berlim, antes de abraçar Morgen e antes mesmo de pedir-lhe perdão por nossa traição.

Capítulo XVI
Na África, entre a amizade com Tamara e as aventuras do Che

– Quem diria! – foi o comentário emocionado de Heitor. – O húngaro, que quase nunca falava e a quem ninguém dava a menor importância, foi um grande violinista que tocou para Hitler, um prisioneiro de guerra no Gulag siberiano e um revolucionário nas ruas de Budapeste!

Jordi estava ainda mais surpreso:

– E nós que pensávamos que só o que lhe interessava eram suas aulas de música!

Depois de uma pausa para recordar seu professor, em que seu pensamento rapidamente voou para a lembrança de seu amor distante, Jordi comentou sorrindo:

– Tenho de contar àCristina que seu professor de música, que parecia perdido nos ensaios, fazia coquetéis Molotov nas barricadas para enfrentar os tanques soviéticos.

Frida, a quem o passado revolucionário do húngaro não impressionava, disparou com um ar de desgosto:

– Eu vou dizer uma coisa e sei que vocês não vão gostar, mas para mim esse Otto era da Stasi.

Heitor entendeu muito bem o que ela estava pensando, mas Bebéi e Jordi não tinham a menor ideia do que significava Stasi. Heitor explicou:

– A Stasi era a polícia secreta da Alemanha Oriental e naqueles tempos os agentes do serviço secreto não eram simpáticos como a Senhora da Embaixada americana. Eles eram duros, desconfiados e controlavam todos os movimentos da gente.

– E se ele era da Stasi – dizia Frida, que começava a dar sinais de que o vinho já estava confundindo seus movimentos –, isso significa que Eszter era da Stasi e que seu vizinho, que não era um nazista filho da puta, era um grande filho da puta por ser da Stasi.

Bebéi se assustou com o comentário, mas Heitor tentou aclarar:

– Melhor não precipitar as conclusões. Sabemos que o húngaro foi apaixonado por sua Eszter e que ela morreu em 1956. Não estamos seguros de que ele era da Stasi, mas sabemos que trabalhava para Otto e suspeito que, depois desta carta, provavelmente, perdeu seu emprego. Sabemos que ele já não podia mais tocar o violino; que gostava de assistir a jogos de futebol e que, nessa época, tinha uma filha de cinco anos e era amigo de Tamara.

Bebéi e Jordi escutavam interessados, mas Frida já dava sinais de estar inquieta. Foi com muito esforço que Heitor a convenceu a dar uma rápida olhada nas notas referentes a Tamara Bunke. Eram notas bem curtas, escritas pela própria Tamara. Aparentemente, ela não gostava de escrever. Havia uma fotografia de Tamara ainda criança, atrás da qual estava escrito: "Tamara nasceu em novembro de 1937; no mesmo mês em que Lali morreu".

– Tamara era uma mulher bonita. Pode ser que seu vizinho tenha se apaixonado por ela depois da morte de Eszter – comentou Frida.

– Não creio – disse Heitor. – Arpad tinha trinta anos e Tamara apenas dezoito.

– Isso é o que você pensa, por ser um velho moralista – retrucou Frida, já no limite da sobriedade. – Não se esqueça que Che tinha mais ou menos a mesma idade desse filho da puta da Stasi, vizinho do nosso Bebéi.

Heitor insistia com Frida para que ela traduzisse as notas de Tamara, mas Bebéi estava assustado. Ele sabia que, quando ficava bêbada, Frida era imprevisível e, quase sempre, violenta.

– Existe uma nota de 1954 – comentou Frida já com a voz um pouco enrolada. – Creio que é de quando os dois foram à Suíça para ver o jogo de futebol:

> *Aproveitem o jogo. Agradeço por confiar em mim e deixar sua filha comigo. Ela é um encanto e, como sua avó e sua mãe, é rebelde e ama a liberdade. Já descobri que é impossível dizer à pequena Morgen o que ela deve ou não deve fazer.*

Frida, àquela altura, já estava esvaziando a garrafa de uísque escocês que o prefeito tinha dado de presente a Bebéi. Os vinhos e a vodca já tinham acabado.

– A outra nota é de 1957 – continuava ela.

> *Como são os argelinos? Eles se parecem com os argentinos que lhe descrevi? Morgen está bem. Todos estamos felizes em poder cuidar dela. Não se preocupe com nada. Continuo achando que você estaria melhor aqui em Berlim, mas o senhor Otto me disse que, ainda que tristes, temos de respeitar sua decisão.*

Bebéi explicou que, pelas notas que estavam no livro de Auden, depois da morte de Eszter Arpad foi viver em Argel. E foi Heitor quem recordou a todos de que Tamara tinha nascido e vivido em Buenos Aires até os quinze anos.

– Será que foi, outra vez, esse safado da Stasi que mandou Arpad para Argel? – perguntou Frida, demonstrando clara antipatia por tudo o que se referia a Otto.

– Não creio – retrucou Jordi. – A nota de Tamara dá a entender que Otto preferia que ele estivesse em Berlim.

Bebéi, então, lembrou que, na carta do arquivista de Budapeste, ele dizia que o Almirante Horthy queria que Arpad aceitasse o trabalho que seu amigo, o "embaixador", lhe estava oferecendo, e comentou:

– Será que ele aceitou aquele trabalho?

– E que trabalho seria? – perguntou Heitor.

Bebéi foi buscar a carta, para mostrar a eles exatamente o que o arquivista de Budapeste tinha escrito:

> *...era muito importante aceitar o trabalho que seu amigo, "o embaixador", lhe estava oferecendo... ainda que Arpad não pudesse mais defender sua pátria tocando a "Dança Húngara", seu pai se sentiria muito orgulhoso em saber que o filho estava lutando para reconquistar a liberdade de todos os húngaros.*

– Um trabalho importante, oferecido pelo embaixador, no qual ele estaria "lutando para reconquistar a liberdade...". Que trabalho poderia ser? – comentou Heitor, pensativo.

A impaciência de Frida já era bem visível e Heitor preferiu aproveitar o pouco que restava para tentar entender o que diziam as notas de Tamara, deixando esse assunto do trabalho do húngaro para mais tarde.

– Existe uma outra nota, esta de 1959 – continuou Frida:

> *Que alegria saber que você vem a Berlim! Mas estou triste por saber que o transferiram para a África. E confesso que a minha tristeza não é por você, pois sei que está*

fazendo tudo para recuperar a sua felicidade, mas sinto por Morgen. Ela é muito especial para mim. Saiba que, mesmo triste, sei que o que você está fazendo é o correto. Ainda que goste muito dessa menina briguenta e rebelde, creio que ela tem de estar próxima a seu pai.

E com aquela nota, a paciência de Frida acabou. Havia uma nota mais, em que Tamara mencionava Che, mas foi impossível segurar Frida ali:

– Até agora me comportei muito bem – com essa frase, ela se levantou e caminhou em direção à porta. – Sua gaivota está encantada com seu apartamento, mas eu sou como Lali e prefiro estar no meio da rua.

Bebéi estava contente. Pelo menos, haviam avançado. Não sabiam ainda qual era o trabalho do húngaro, mas sabiam que depois da morte de Eszter ele fora viver sozinho na Argélia e que, dali, fora "transferido" para Kinshasa, no Congo, junto com sua filha Morgen.

– Quem foi que o transferiu? – perguntou Bebéi. Ninguém ali sabia responder.

– Sabemos também – comentou Heitor – que em 1960 ele regressou à Alemanha, ainda que por pouco tempo, pois foi quando Tamara conheceu Che e os três se encontraram naquela mesa de bar, como mostra aquela fotografia de Leipzig.

Heitor estava feliz por descobrir coisas sobre o húngaro, seu colega na escola, mas seu grande interesse era Che e, se Frida já não estava para traduzir as cartas de Tamara, Bebéi tinha com ele as notas de Guevara, que estavam no livro de Gunter Grass.

Eram três notas de poucas linhas assinadas por Che. Na primeira, de 1961, ele contava a Arpad como Tamara estava se adaptando à vida em Havana. Na segunda, de 1964, mencionava que estaria próximo a Kinshasa, em Congo Brazzaville, e queria que Arpad fosse encontrá-lo ali. A terceira era de 1966 e nela Che contava que havia reencontrado Tamara e que agradecia por tudo o que Arpad fizera para ajudá-lo no Congo, "ainda que de longe" e terminava dizendo: "Uma lástima não termos conseguido o sonho que buscávamos".

Com as notas na mão, Heitor fez todo um discurso que Jordi seguiu sem perder palavra, explicando que Che tinha estado no Congo, provavelmente, no mesmo período em que Arpad vivia ali, liderando uma força internacionalista cubana que apoiava o Movimento Simba contra o governo de Mobutu.

Heitor não tinha claras as datas e foi por isso a sugestão de Bebéi de fazer uma visita a José Princesa. O velho professor comunista falava com paixão dos movimentos de libertação africanos que ocorreram na década de 1960, mas não conhecia os detalhes. E quem certamente os conhecia era José Princesa. Como Bebéi dizia a todos, José Princesa lia os livros antes de vendê-los e por isso sabia de tudo – o que, obviamente, era verdade, mas apenas quando ele não estava cantando no cabaré como Lola Marlene.

Por tudo que tinham lido, Arpad deveria estar de alguma forma envolvido com o que se passou ali naquele período.

– Ainda mais sabendo agora que o Che esteve por ali e era seu amigo! – comentou Jordi, que se entusiasmava com as novas descobertas sobre a vida de seu professor de música.

Antes de sair, Jordi aproveitou para explicar seus planos para o lançamento do jornal. Para ele ainda mais importante do que entender o que fazia o húngaro, era organizar a resistência ao prefeito em Santa Clara.

– A ideia é fazer um pequeno jornal para informar a todos das coisas que se passam por aqui. Os grandes jornais nacionais não contam as coisas que são importantes para nossa cidade. Frei Bernardo quer convencer as pessoas que vivem em Santa Clara a não pagar mais subornos. Já Carmela e eu estamos mais preocupados com os planos da nova Santa Clara. Se o prefeito consegue construir essa cidade, todos nós, que hoje vivemos aqui, seremos obrigados a mudar para outro lugar.

Jordi continuava contando, entusiasmado com seu trabalho:

– Vamos começar com um pequeno jornal de quatro páginas. Tem de ser algo bem simples, pois não temos dinheiro. Vamos imprimir dois mil exemplares e já conseguimos os recursos para financiar os gastos do primeiro número. Utilizaremos o carro da Gigi para o que for necessário além do apartamento dela Gigi e do frade para as reuniões editoriais. Vamos utilizar a casa de Carmela para o depósito do material; a impressora vai ficar nos fundos da barbearia de Rasta Bong. Os artigos serão escritos por nós mesmos, utilizando o computador de Cristina, aproveitando que ela está nos Estados Unidos.

– Não sei se isso será suficiente para enfrentar o poder do prefeito, mas certamente já é um bom começo – foi o comentário de Heitor.

Capítulo XVII
Para quem trabalhava o húngaro: para os gringos ou para os vermelhos?

No dia seguinte, ao sair da Embaixada, Bebéi encontrou Jordi, que o esperava na Praça Bolívar. Ele estava contente com tudo o que já tinham descoberto. Ainda não sabia por que o húngaro tinha desaparecido, mas pelo menos já sabia que aquele seu vizinho não era alguém sem importância, que merecia desaparecer sem que ninguém por ele perguntasse. Talvez Princesa pudesse ajudá-lo a avançar um pouco mais e descobrir por que um dia o húngaro se foi sem avisar ninguém. Lamentavelmente, Heitor não podia se juntar a eles; o ex-chefe da célula comunista estava aproveitando aquela tarde para fazer algumas compras no supermercado, a pedido de dona Lourdes.

Bebéi e Jordi foram, então, ao ateliê de Lola Marlene, que ficou feliz quando soube a razão daquela visita. O sucesso que vinha fazendo, pois desenhava vestidos, tinha facilitado muito sua vida e tudo estava tão bem que já ninguém mais lhe perguntava quando iria fechar a livraria. Princesa agora pagava todas as despesas e os prejuízos da livraria já não eram tão grandes, pois, seguindo uma sugestão de Diana, a americana mochileira, tinha comprado uma máquina italiana e passara a servir café em umas mesinhas colocadas em frente à livraria. Como ele mesmo explicava:

– Se não compram livros, pelo menos se sentem bem ao tomar um café olhando para eles.

Sua última novidade era um carro usado que havia comprado e que, graças a um desenho que ele mesmo fez e ao trabalho de alguns amigos, foi pintado a mão, com todas as cores do arco-íris, e chamava a atenção dos turistas que paravam ali, na Praça da Catedral, para tirar fotografias ao lado do carro.

Ao perceber que a conversa seria longa, Lola Marlene preferiu trocar o elegante modelo turquesa e amarelo, que estava usando para impressionar as clientes por algo mais apropriado para uma discussão de história africana: suas velhas calças jeans, uma camisa quase discreta, branca com pequenas flores rosadas e o chapéu rosa de beisebol. Depois, sentou-se com os dois em uma das mesas da calçada. Vestida como José Princesa, sua grande paixão ainda eram os livros.

– Melhor começar pela história do Congo nos anos sessenta – disse ele, dando um gole em seu cappuccino, que ali na livraria era servido em copos altos de vidro. – Entendo que foi nesse período que o húngaro que era amigo de Che viveu em Kinshasa. E para entender o que passou naquele período é importante que entendam tudo o que aconteceu na África naqueles anos de guerra fria, quando americanos e soviéticos buscavam aumentar sua influência internacional. Naqueles tempos o mundo se dividia entre o primeiro mundo, dos países desenvolvidos capitalistas, o segundo mundo, dos países comunistas e o terceiro mundo, dos países menos desenvolvidos, onde se incluíam todas as nações africanas. E todos lutavam contra todos.

Bebéi se confundia um pouco com aquelas explicações mais sofisticadas, mas sabia que para Jordi era importante conhecer os detalhes de tudo o que havia ocorrido.

– O Congo – continuava Princesa – foi um dos primeiros países a buscar sua independência e um dos que mais sofreu com aquela disputa. A primeira nota que estava dentro do livro de Conrad é de 1960 e, pelo que percebi, foi escrita por alguém próximo aos americanos. Ela menciona Patrício Lumumba, que foi o primeiro líder da luta africana contra o imperialismo europeu. O Congo era uma colônia belga e Lumumba lutou contra os europeus para levar seu país à independência. Pelo que sempre li, era uma pessoa brilhante e a nota que o húngaro guardava confirma isso: "ele era um homem inteligente, capaz de liderar a construção da nova nação independente do Congo". E digo que é uma nota escrita por alguém dos americanos, pois depois de falar bem dele, propunha eliminá-lo. Segundo a nota, "suas ideias de criar uma democracia, onde todos tivessem os mesmos direitos, tinha aproximado Lumumba dos soviéticos". O curioso é que a mesma nota menciona um outro líder, do qual, porém, apenas comenta coisas negativas. Alguém que não parecia ser inteligente, que era ambicioso, corrupto, violento e chega até a dizer: "alguns o consideram um animal e, provavelmente, têm razão; mas, pelo menos, é o nosso animal". Por isso é que me parece uma carta escrita por alguém próximo aos americanos, que consideravam Lumumba uma ficha dos soviéticos. A nota chega a mencionar que o outro "não serve para conduzir o país, mas pode ajudar-nos a liquidar Lumumba e depois encontraremos alguém que possa cuidar dele". Isso me leva a uma pergunta: vocês já descobriram que fazia o húngaro no Congo?

– Suspeitamos que, quando estava na Alemanha, antes de ir para a África, ele trabalhava para a Stasi – foi a resposta de Jordi.

Bebéi não respondeu nada, pois estava um pouco confuso com tudo o que escutava. Lumumba era bom e tinha de ser eliminado; o outro era um animal mas, era o "nosso animal", e deveria ser apoiado. Será que ele tinha entendido bem?

– Isso parece estranho – comentou Princesa. – Primeiro porque não acredito que a Stasi estivesse ativa na África. Pelo lado dos países comunistas quem cuidava dos temas africanos era a KGB. A Stasi era uma agência orientada a preservar o comunismo na Alemanha Oriental e esta carta mais parece ser de alguém que trabalhava para a CIA, que era a agência que coordenava a ação americana na África.

Depois de fazer esse comentário, Princesa ficou em silêncio, como se estivesse pensando em algo, mas não falou nada e continuou lendo a segunda nota que Bebéi lhe entregou, 1965.

– Esta nota é ainda mais curiosa. Pelo que vocês me contaram, o húngaro era amigo do Che e o que sabemos com certeza - já que ele chegou a escrever um livro sobre isso, *O Diario do Congo* - é que Che Guevara esteve no Congo em 1965 e 1966, apoiando a revolução Simba. No entanto, esta nota que o húngaro guardava é dos americanos e comenta as várias execuções que o governo do Congo ordenou contra opositores e a necessidade de apoiá-las. Parece um pouco com a outra nota, pois menciona especificamente "a importância de convencer os tutsis a apoiar Mobutu e lutar contra a gente de Pierre Mulele, que está tentando fomentar um golpe de estado", e, por isso, não faz sentido que seja de alguém amigo do Che, pois era exatamente ao grupo de Pierre Mulele que Guevara estava apoiando com seus guerrilheiros cubanos.

José Princesa olhou para os dois com uma expressão travessa no rosto e os provocou com uma inocente pergunta:

– Será que o húngaro trabalhava para a Stasi ou será que ele trabalhava para a CIA? Ou, ainda pior: será que o húngaro era um agente duplo? – E comentou, com uma expressão quase infantil – Isso está ainda mais interessante que os livros de Le Carré. Que mais vocês sabem desse húngaro, por quem eu já estou apaixonado?

E quem respondeu foi Jordi:

– Bebéi também tem uma carta do Almirante Horthy, regente da Hungria, onde segundo o que traduziu o arquivista de Budapeste, ele insiste para que Arpad aceite o emprego que um "embaixador" lhe estava oferecendo; mas não sabemos quem era esse embaixador.

Quebra-cabeça assim era o que mais encantava José Princesa e ele foi imediatamente consultar alguns livros sobre a guerra e algumas fontes na internet. Não demorou muito tempo, voltou a juntar-se aos dois, que continuavam sentados à mesinha da livraria:

– O grande amigo de Horthy, que praticamente financiou sua vida durante o exílio em Portugal, foi o embaixador americano John Montgomery. É por isso que eu pergunto para quem ele trabalhava... para os vermelhos ou para os gringos?

Jordi aproveitou para mencionar a carta de Che, onde estava escrito que Arpad havia ajudado no Congo e utilizava a expressão "de longe".

– Será que o húngaro era um agente duplo? – voltou a insistir Princesa e a imaginação de Bebéi saiu voando ainda mais alto que as gaivotas.

Quantos livros ele havia lido contando histórias de espiões internacionais! E agora ele descobria que no apartamento abaixo do seu tinha vivido um agente duplo da Guerra Fria. Pouco importava que ele não o tivesse conhecido. Arpad viveu num apartamento como o seu e todos os seus livros, as suas notas e as suas recordações estavam agora no apartamento de Bebéi. "Que mistérios esconderia aquela chave guardada no livro de Zola?", pensava ele, já se sentindo um agente internacional à caça de espiões.

Os três continuaram conversando animados e apenas não ficaram por mais tempo porque aquela era uma noite de espetáculo e José Princesa tinha que preparar-se. Desde que fecharam o Gata Caliente, os travestis negociaram levar seu espetáculo para o cabaré da Anã Chinesa, onde Lola Marlene era a atração principal, recriando as canções românticas de Edith Piaf.

Apenas tiveram tempo para revisar rapidamente as três outras notas que estavam no livro de Conrad sobre o Congo. A primeira descrevia um plano para apoiar o desenvolvimento de uma cidade chamada Kisangani. Pela letra, se podia perceber que tinha sido escrita por Arpad e citava os dez pontos que eram importantes para desenvolver a cidade e toda a região que começava em Kisangani e chegava até Bukavu, passando por Lubuto.

– Kisangani é o nome da cidade do endereço de Laurence, a neta do húngaro – comentou Bebéi.

A segunda nota mencionava os tutsis e descrevia um plano dos soviéticos para fomentar a divisão entre dois grupos africanos, os hutus e os tutsis, e desestabilizar o controle que os americanos tinham do país com Mobutu.

– Quem a escreveu – comentou Princesa – propunha neutralizar a influência que os soviéticos tinham junto aos hutus, ajudando os tutsis a atacá-los. Menciona que seria possível aproveitar os problemas já existentes entre eles em Burundi.

A terceira era de 1974 e comentava a importância de convencer Mobutu a combater as forças do Movimento Popular de Libertação de Angola, pois Agostinho Neto, o chefe do MPLA, era muito amigo dos soviéticos. Também dizia que era importante convencer Mobutu de que se Agostinho Neto tomasse o controle de Angola, ele iria vender o petróleo do Enclave de Cabinda para os russos e comentava: "ainda que isso não seja verdade, pois estamos negociando com os angolanos para que assegurem o acesso ao petróleo para as empresas americanas e italianas, é importante convencer Mobutu a lutar contra ele".

Ao sair da praça, Bebéi comentou com Jordi:

– E depois de todas essas aventuras ele veio viver em Santa Clara, onde não tinha amigos e onde ninguém perguntou por ele no dia em que se foi. Quem pode entender?

Capítulo XVIII

O fim de semana começa com a banda e termina com a sanfona do cigano

Nas noites de sexta-feira a banda municipal se apresentava no coreto bem ao centro da Praça da Catedral e, como sempre, era o seu General quem abria o espetáculo, com a faixa tricolor no peito, acompanhado por seu fiel cachorro. Mas naquela noite, pela primeira vez desde que tinha sido nomeado solenemente pelo prefeito como General da Banda, Bebéi teve de ir sozinho. Seu cachorro tinha demonstrado querer ficar com a gaivota no terraço. Ele até chegou a pensar que o cão estivesse doente e, na dúvida, decidiu não insistir e acabou deixando-o em casa, o que foi providencial, pois, por mais absurdo que possa parecer, naquela sexta-feira, alguém tentou entrar em seu apartamento.

A princípio ninguém tinha muito claro o que estava acontecendo, pois a única coisa que escutaram foram os latidos no terraço. E como sempre havia alguém ali na calçada observando a gaivota, quando o cachorro começou a latir os que estavam na rua rapidamente perceberam que alguma coisa estranha estava acontecendo.

A porta do casarão estava fechada e ninguém podia entrar. Alguns vizinhos decidiram ir até a praça avisar Bebéi, que voltou rapidamente, pensando que alguma coisa tinha acontecido com a gaivota.

Como ele saiu da praça correndo, Dioclécio, que estava por perto, percebeu que alguma coisa anormal estava acontecendo e avisou Tenente Pirilo, que ali representava o prefeito. Pirilo, que não se lembrava de haver escutado alguém dizer que Bebéi estava correndo, também preferiu deixar a banda tocando sozinha para ir até o apartamento.

Quando chegaram, tudo parecia normal. A porta do casarão não havia sido forçada, nem a porta do apartamento. Bebéi entrou e o cachorro parou de latir, mas estava claramente agitado, sinal de que alguma coisa havia acontecido.

Até então, Pirilo não tinha dado muita atenção às câmeras de vigilância, mas decidiu aproveitar aquela noite para voltar à Prefeitura e rever o vídeo gravado pela câmera colocada na esquina do casarão. E observou que o vídeo permitia ver claramente duas pessoas desconhecidas que entraram no casarão pela porta da frente e que não saíram mais.

– Como é possível terem entrado e não saído mais? – perguntou Pirilo a seus assistentes.

Voltaram todos ao casarão, entraram nos quatro apartamentos, incluindo o do húngaro e constataram que os dois desconhecidos, provavelmente, haviam saído pulando o muro, pois o arame de proteção tinha sido cortado.

– Se entraram pela porta e saíram pelo muro é porque boa coisa não estavam fazendo – concluiu o tenente.

Depois, Pirilo solicitou os vídeos de todas as câmeras instaladas na cidade e passou a noite vendo e revendo cada um deles. Que falta ele sentia de sua assistente Cristina! Sem ela por ali, ele mesmo teve que revisar cada vídeo e observou que os dois homens que tinham entrado no casarão apareceram, alguns minutos depois, cruzando a

Praça Bolívar, na entrada do calçadão - ali não eram mais dois e, sim, três, pois havia mais um com eles.

Pirilo reviu o vídeo da câmera instalada na porta do casarão e percebeu que o terceiro elemento que aparecia na praça tinha passado duas vezes frente à porta e, depois de passar pela segunda vez, ficou parado na esquina, junto com os curiosos que observavam a gaivota no terraço. No vídeo era até possível perceber quando ele ficou tenso, provavelmente, quando o cachorro de Bebéi começou a latir, e foi embora.

– Está claro – concluiu Pirilo. – Eram três! Um ficou na rua e os outros dois entraram no casarão usando uma chave. Subiram as escadas, provavelmente, vavelmente pensando que, como pensando que, como era dia de apresentação da banda, Bebéi estaria na praça com seu cachorro, e quando o cachorro começou a latir, saíram correndo, saltaram o muro e voltaram a se encontrar outra vez na entrada do calçadão.

Nos vídeos era impossível reconhecê-los, pois os três estavam de óculos escuros e dois deles usavam gorros, mas pelas roupas e pelo jeito de caminhar não pareciam nada com os marginais conhecidos conhecidos na cidade.

Em Santa Clara, roubos não eram comuns, mas desde o dia em que Bebéi descobriu que o apartamento vazio do húngaro estava cheio, dois roubos tinham acontecido em menos de três semanas. No primeiro, levaram quase tudo o que o húngaro tinha deixado no apartamento; seria este segundo para levar o que tinha restado?

– Acho que não – disse Bebéi a Pirilo. – Desconfio que desta vez o que eles queriam era a gaivota.

Uma ideia que parecia completamente absurda ao tenente, mas Bebéi insistiu:

– O cachorro não quis me acompanhar esta noite. Alguma coisa ele estava prevendo, pois por mais que eu insistisse, ele não quis sair do terraço. E lá ficou com sua amiga gaivota.

Tenente Pirilo estava completamente perdido. Ninguém iria entrar num apartamento para roubar uma gaivota. E mais: quem iria se interessar por alguns livros que guardavam notas contando o que o húngaro tinha feito antes de se mudar para Santa Clara?

Pelo sim, pelo não, ele decidiu reforçar a segurança e propôs que Bebéi deixasse os documentos guardados com ele na Prefeitura. Até então, Pirilo ainda não sabia da existência da chave. Esse era um segredo que apenas Irigandi conhecia.

Bebéi aceitou a oferta e, com a ajuda de Pirilo, colocou todas as notas que estavam nos livros em pastas azuis, uma para cada livro, de modo a não confundir os arquivos, e levaram as pastas para o cofre que Pirilo tinha em seu escritório.

Como a equipe de Pirilo ainda não sabia utilizar bem aquela parafernália tecnológica de segurança, o tenente pediu ajuda à Senhora da Embaixada americana. Teve de explicar a história da nova tentativa de roubo e ela, que tinha muito carinho por Bebéi, preocupou-se e quis saber detalhes do que havia acontecido. Mandou seus assistentes para ajudar a equipe de Pirilo e, juntos, descobriram, pelas imagens de uma das câmeras, colocada em frente à Prefeitura, o automóvel em que os desconhecidos tinham chegado à cidade e, a partir daí, que este se tratava de um carro alugado. Na locadora, descobriram que o aluguel tinha sido feito com um documento falsificado e conseguiram encontrar no carro as impressões digitais de pelo menos um dos três suspeitos. Com isso e com a ajuda dos sistemas de informação a que a Senhora tinha acesso, concluíram que as digitais eram de um peruano que vivia em Miami.

Em Miami, já na manhã de domingo, o peruano foi encontrado pelo serviço secreto e, assustado, confessou que tinha sido contratado por um cubano que vivia em Little Habana. Naquela mesma tarde, o cubano também foi localizado e, rapidamente, contou que tinha sido contratado por outro cubano, dono de um restaurante, que era conhecido por agenciar "trabalhos especiais".

Na noite de domingo, alguns agentes do FBI fizeram uma visita ao dono do restaurante, que, tranquilamente, comia uma pizza com a família e que, para evitar maiores problemas, logo negociou sua colaboração e explicou que quem havia encomendado o serviço tinha sido um escritório de advocacia. O mesmo escritório que administrava os bens do húngaro!

Nenhuma prisão foi feita, pois ninguém havia cometido crime. Mas todas as informações deveriam ser tratadas com o maior sigilo, pois, como explicou a Senhora:

– Como não utilizamos os métodos legais e tradicionais de investigação, é preferível que ninguém saiba o que fizemos.

Tenente Pirilo entendeu, mas aquela nova tentativa de roubo o deixara ainda mais intrigado. O que haveria de tão importante ali? Era inútil perguntar pois, desde que Cristina viajara para os Estados Unidos, ninguém mais era capaz de responder às suas perguntas.

Tenente Pirilo não era o único curioso ali. Depois de conversar com ele, a Senhora da Embaixada americana circulou com seu motorista pela cidade até encontrar Bebéi. Ele passeava com seu cachorro pelo calçadão e ela decidiu acompanhá-lo. Juntos, os dois foram caminhando até a Praça da Catedral, que naquela noite estava repleta de casais que escutavam a sanfona romântica do cigano sentado nos degraus do coreto com a gata amarela de Dioclécio aos seus pés.

A Senhora tinha algumas perguntas. Por que as tinha? Ela mesma não sabia. Talvez por ser alguém que durante toda sua vida trabalhou com os serviços de inteligência e sempre estava atenta em busca de novas pistas, ou talvez porque, como Grená, gostava de saber tudo o que se passava na cidade. E o que ela sabia, com certeza, era que Bebéi tinha um bom olfato para descobrir coisas que os outros não conseguiam entender. Fora assim com o Condor e também, depois, quando a jornalista canadense desapareceu. O que começou com uma simples curiosidade de Bebéi, acabou por levar a interessantes descobertas e, se ele estava interessado no húngaro e alguém estava interessado em roubá-lo por isso, era porque ali havia alguma coisa especial.

Bebéi lhe contou o que dizia a carta do amigo de Budapeste e também as histórias de Lali, de Eszter e dos jogos de futebol. Falou também das suspeitas que tinham de que o húngaro tinha trabalhado para a Stasi e até o que disse José Princesa: que talvez ele fosse um agente duplo que trabalhava também para a CIA. Contou sobre a foto de seu pai na Argélia e sobre as cartas do Congo, o convite de Hitler e a foto de Che. Ela escutou, admirando com um sorriso o entusiasmo de Bebéi ao descrever o vizinho solitário que ele nunca conheceu.

Do ponto de vista prático, nada ali lhe interessava, pois tudo o que Bebéi contava eram histórias dos anos 1960 e 1970, quando o muro de Berlim dividia o mundo e a Guerra Fria era a principal preocupação dos serviços de inteligência americanos. "Bons tempos aqueles", pensava a Senhora, "quando pelo menos sabíamos quem eram nossos inimigos".

Ela escutou toda a história e até se comprometeu com Bebéi a ajudá-lo a descobrir se Arpad tinha, de fato, trabalhado para o serviço secreto americano. Mas tinha a mesma dúvida de Pirilo: o que estariam procurando os advogados de Miami no apartamento de Bebéi? Certamente, o roubo não tinha nada que ver com as histórias românticas de futebol e de espiões que Bebéi lhe contara, mas por alguma razão alguém tinha contratado especialistas para roubar tudo o que o húngaro tinha em seu apartamento e como, provavelmente, na primeira vez não haviam encontrado o que estavam buscando, eles voltaram. Mas isso tudo, não era pela história do húngaro. Se eles contrataram especialistas, era porque havia algo ali que valia dinheiro. E era isso que ela queria descobrir. Seria aquela gaivota?

Ela se foi e Bebéi permaneceu na praça com Dioclécio. Ele tinha mais um problema a resolver naquela noite e nisso talvez

Dioclécio pudesse ajudar: não conhecia ninguém em Santa Clara que entendesse tcheco para ler as notas que estavam no livro de Pasternak.

Dioclécio, que sentado nos bancos da praça a tudo observava, contou-lhe que uma das mulheres que trabalhavam na Rua das Francesas e que, muitas vezes, cruzava a Praça da Catedral para atender seus clientes no hotel era tcheca. Quem sabe ela poderia ajudar?

Capítulo XIX
Noite de reunião no Café da Ilona para escutar "L'Orgue de Barbarie"

A reunião foi convocada por Rasta Bong e o assunto era a pizzaria do frade. Ele continuava preocupado com a insistência de Frei Bernardo em não pagar as "comissões", o que estava atrasando – e muito – a inauguração do restaurante. Como sabia que o frade escutava Ilona, Rasta preferiu fazer a reunião no Café e, para não repetir o erro, dessa vez marcou o encontro para o final da tarde. Naqueles dias Ilona andava um pouco triste. Paul estava viajando pelo Oriente Médio, buscando extraterrestres, como ela mesma explicava. Mas, mesmo triste, lhe sobrava energia para dirigir os trabalhos do restaurante e ainda acompanhar o torneio de pipas.

O torneio era uma tradição criada por Ilona. Tudo começou muito tempo atrás quando ela ofereceu dois almoços no domingo para o garoto que fizesse voar a pipa mais bonita em frente ao terraço do restaurante. Repetiu isso no mês seguinte e continuou repetindo até que o torneio de pipas passou a ser uma tradição em Santa Clara. Todo último sábado do mês, ao final da tarde, quando a brisa que vinha do sul sempre era forte, uma infinidade de pipas voavam sobre todo o calçadão, criando um espetáculo de cores que fazia ainda mais belo o pôr-do-sol. Com o tempo, as pipas passaram a ser mais sofisticadas o que obrigou Ilona a dobrar o prêmio: dois almoços para a melhor pipa empinada por uma criança e dois almoços para as grandes e sofisticadas pipas construídas e empinadas por adultos ou mesmo por turistas atraídos pela fama do torneio.

Naquela tarde, o vento estava especialmente forte, dando trabalho aos que tentavam empinar as pipas mais sofisticadas, e tanto o calçadão como o terraço do restaurante estavam lotados de turistas. Mas enquanto a maioria dos olhos observavam aqueles voos coloridos, em uma mesa dentro do Café o que se discutia era pizzaria do frade. Ali, além de Ilona e Rasta Bong, naquela tarde também estavam Gigi, Dioclécio, Bebéi e Jordi.

– Você não pode continuar com esta teimosia – insistia Rasta. – Conseguiu a licença dos bombeiros e sei que a autorização do Patrimônio Histórico está para sair, graças à pressão que Ilona e Princesa fizeram no chefe da Agência. Mas ainda falta a licença da vigilância sanitária. Isso sem falar na autorização da Prefeitura para poder servir bebidas alcoólicas...

Frei Bernardo escutava o que dizia seu amigo Rasta, mas retrucava:

– Todos os equipamentos que compramos são de primeira linha, como os de Ilona, porém mais novos. Os empregados são apenas cinco e todos já estão trabalhando em outros restaurantes. E negar a licença para servir bebidas alcoólicas é um absurdo, pois apenas vamos vender algumas garrafas de cerveja e uns poucos copos de vinho para acompanhar as pizzas. Nossas vendas de todo um mês serão menores que as de Ilona em uma única noite. E mesmo assim estão questionando?

Rasta insistia:

– Juanita também tinha equipamentos tão bons como os seus, empregados registrados e quase não vende bebidas alcoólicas, e mesmo assim teve de pagar as comissões... E pagou! A cooperativa tem salva-vidas em todos os botes, mas toda semana temos de pagar um pedágio para o fiscal do porto. Um dia que Miguel estava de lua e decidiu não pagar, eles nos fizeram tirar todos os salva-vidas dos barcos e colocá-los no cais, para fazer a contagem, e, com isso, tivemos de suspender os passeios da manhã e deixar os turistas reclamando no cais...

– É exatamente por isso que quero insistir – interrompeu o frade. – Não é possível que continuemos aceitando esta corrupção – e prosseguiu com seu discurso, que todos ali conheciam bem.

Ilona nunca opinava sobre as decisões de seus amigos. "Cada um tem a sua cabeça, pensa o que quiser pensar e faz o que tiver vontade", era o que achava. Dioclécio, por sua vez, não precisava falar; ali todos sabiam que o velho filósofo era um dos que mais incentivavam o frade na sua cruzada moralizadora. E ele não era o único. Muitos na cidade acompanhavam a briga do frade com o prefeito, torcendo pelo frade, contra o pagamento das comissões, mas com medo de abrir a boca e enfrentar o prefeito.

Rasta chegou a pedir ajuda a Gigi, mas ela também ficou calada. Ela tomava suas próprias decisões, que incluíam os voos não tão legais que pilotava desde que tinha perdido o seu brevê, e o frade não se metia, o que lhe dava pleno direito de fazer o que quisesse com a sua pizzaria.

Rasta não estava contente, mas não era muito o que podia fazer e como Jordi e Bebéi também estavam por ali, eles acabaram por deixar de lado a discussão sobre a teimosia do frade e começaram a conversar sobre o novo jornal que estava quase pronto para ser lançado... mas que ainda não tinha um nome.

Rasta Bong propôs O Leão de Judá, e como ninguém aceitou, saiu frustrado do Café para acender um de seus cigarros. Já anoitecia e, quando a noite chegava, o energético Rasta dos mil negócios dava lugar a Rasta Bong, "rastafári one love".

Ilona propôs A Gaivota. O nome era simpático, pois todos conheciam a gaivota de Bebéi, mas Frei Bernardo não gostou:

– A gaivota sempre voou e sempre continuará voando. Não é algo que represente nossa cidade.

Seu comentário acabou provocando uma enorme discussão: o que melhor representava a cidade de Santa Clara?

– Sua arquitetura com as ruas estreitas de pedra e os grandes casarões coloniais – opinou Gigi.

Jordi retrucou, dizendo que eram muitas as cidades que também tinham seu bairro histórico.

– A tranquilidade da vida – argumentou Frei Bernardo, logo reconhecendo que tranquilidade era um elemento comum a qualquer cidade pequena.

Cada um foi colocando suas impressões, até que Ilona perguntou a Bebéi:

– E para você, Bebéi, qual é a primeira coisa que lhe vem à cabeça quando alguém fala de Santa Clara?

– A música de "L'Orgue de Barbarie" – respondeu ele.

Ninguém entendeu.

Ilona, que tinha aprendido bem o francês por conta de um amor de juventude, explicou:

– O *Realejo*!

E todos ficaram pensando em silêncio.

Ilona mesmo foi a primeira a comentar:

– Acho que eu também gosto do *realejo*. Tem dias que acordo com vontade de matar todos vocês, mas, quando escuto o som do carrinho de raspadinha do filho da Passarinho, é como se minha raiva desaparecesse no ar.

O frade comentou que o *realejo* era uma coisa nostálgica, como nostálgicos eram todos os que queriam manter Santa Clara tranquila e preservada. Cada um foi opinando e as opiniões eram todas favoráveis. Até Rasta, que regressava, com os olhos brilhando, comentou:

– *Cool*... o *realejo*... *One love*... – e começou a rir de uma forma tão contagiante que todos ali, ainda que sem entender o porquê, começaram a rir também.

Jordi também gostou da proposta:

– Nosso jornal tem de ser algo que mexa com as emoções e acho que O *Realejo* seria um ótimo nome.

Assim, depois de mais algum comentários, aquele nome acabou sendo o escolhido.

– A vantagem – comentou Jordi – é que com este nome, sempre que escutarem a música do *realejo* as pessoas vão se lembrar de nosso jornal.

E Rasta Bong, que não parava de rir, completou:

– O jornalzinho será anunciado pelo filho da Passarinho e distribuído pela sua mãe... – e concluiu com uma gargalhada – ... certamente, será uma coisa de loucos!

A reunião logo terminou, pois ninguém conseguia resistir com seriedade aos comentários de Rasta depois de ter fumado seu cigarrinho e, no dia seguinte à ideia do novo jornal, *O Realejo de Santa Clara*, começou a tomar vulto na cidade.

A primeira a apoiar foi Grená, que confessou que todas as manhãs esperava a chegada do filho da Passarinho. Não pelas raspadinhas e, sim, pela música do *realejo* que alegrava a sua esquina. Dioclécio comentava com todos na praça que, quando o triciclo parava por ali, todas as crianças se aproximavam. E não apenas elas: os aposentados paravam seu dominó, os que estavam de mau-humor sorriam e mesmo os mais apressados paravam alguns minutos para escutar o *realejo*.

Jordi descobriu que a ideia do nome era bem-recebida entre os mais jovens e se surpreendeu ao perceber que todos, dos mais privilegiados que frequentavam a academia de ginástica de Lúcia aos que viviam nas casas mais simples do outro lado do rio, fora do centro histórico, compartilhavam o encanto pela música do *realejo*.

Os pelagatos também concordaram. Quando o filho da Passarinho chegava com seu triciclo, Frida parava de insultar as beatas, o Coronel se oferecia para girar a manivela e até Nullo controlava seus peidos. Robespierre foi o único que criticou; mas, como criticava tudo o que via ou ouvia, ninguém se incomodou.

Rasta Bong tinha sido o pioneiro a descobrir a magia dos *realejos*. Muito antes daquela reunião, ele tinha proposto ao filho da Passarinho fazer alguns *realejos* para colocar nos triciclos que mandara construir para levar turistas a passear pelas ruas do centro histórico. O problema, na época, foi que os *realejos* não eram muito bons e não duravam mais que uma ou duas semanas. A frustração foi tanta que Rasta decidiu levar adiante a ideia dos triciclos, mas abandonou a ideia de colocar neles os *realejos*.

Os mesmos problemas técnicos tinha o *realejo* do carrinho de sorvetes, que enguiçava pelo menos uma vez por semana, mas havia uma nova possibilidade: a irmã da canadense que desapareceu tinha voltado a viver em Santa Clara e estava montando uma carpintaria em sociedade com Rasta Bong para fazer móveis e também consertar os barcos da Bobo Ashanti; foi dela a ideia de construir um novo *realejo* para o lançamento do jornal.

O *realejo*, na verdade, era apenas um conjunto de tubos de madeira que tocavam notas musicais. Os tubos eram alimentados por um fole, parecido com a sanfona do cigano. Ao girar a manivela, o ar do fole passava aos tubos, que tocavam as notas seguindo a programação dos cilindros.

Quase tudo era um trabalho de madeira e a irmã da canadense era boa carpinteira. Os foles seriam os mesmos da sanfona e o cigano sabia onde encomendá-los. Foi, então, que, para surpresa de todos, eles descobriram que o filho da Passarinho, por alguma razão que apenas a velha que inventava histórias podia explicar, tinha com ele vários cilindros antigos programados para muitas canções. Pronto: o problema de construir o *realejo* já estava resolvido. Mas havia um segundo problema – quem iria girar a manivela?

O *realejo*, para tocar, necessitava de alguém que girasse o cilindro, o que não era um problema quando o filho da Passarinho pedalava o triciclo, pois ele havia montado um sistema em que o movimento dos pedais acionava o fole e os cilindros. Quando parava para vender as raspadinhas, o macaquinho girava a manivela. E quando ele cansava e abandonava o triciclo, algum voluntário sempre se habilitava, pois sem a manivela girando não havia música.

Quem seria, então, o tocador de *realejo* que iria girar a manivela anunciando o jornal? Teria de ser alguém que não tivesse nada para fazer... E ainda que pareça curioso, não foi fácil encontrar alguém desocupado em Santa Clara. Dioclécio caminhava pelas ruas observando as pessoas e filosofando sobre a vida; Negro Zen meditava; os pelagatos se embebedavam; a Passarinho passava o dia correndo sem razão de um lado a outro da cidade, para que todos pensassem que ela estava ocupada... Nenhum deles tinha tempo para girar a manivela debaixo da sombra da grande árvore da Praça da Catedral, ponto estratégico escolhido para colocar o *realejo*. Contratar alguém também não parecia fazer sentido. Foi de Bebéi que veio a mais absurda das propostas:

– Por que não pedimos a Arcádio?

Isso surpreendeu a todos, mas Bebéi insistiu:

– Depois da surra que levou por ter dado um soco na Passarinho, ele nunca mais apareceu por aqui. Todos na cidade o odeiam e ele odeia todos. Mas por que não perguntamos? – E concluiu, com bom-senso – Se ele aceitar, não teremos mais razão para odiá-lo e, quem sabe, ele também deixará de nos odiar?

– E o que vai dizer a Passarinho? – perguntou Ilona.

– Tenho certeza de que ela estará de acordo – respondeu Bebéi. – Ela sempre me pergunta o que Arcádio poderia fazer para deixar de ser tão infeliz.

Arcádio era um mendigo que não bebia, mas roubava tudo o que podia. Foi ele que roubou a carteira e o passaporte do Condor no dia em que ele morreu e também foi ele quem bateu na Passarinho quando ela encontrou as coisas que ele havia roubado. Ninguém, absolutamente ninguém, na cidade conversava com ele, que cheirava mal, era desagradável e sempre estava com raiva de todos. Certamente, era a última pessoa no mundo em que alguém poderia pensar para girar a manivela do *realejo*, mas Bebéi propôs e, o que a principio parecia uma proposta absurda, passou a ser algo que, segundo Jordi, valia a pena tentar.

Ao frade lhe encantou a ideia, recordando que perdoar com dignidade é sinal de sabedoria. Dioclécio também apoiou. Bebéi foi encarregado de falar com Arcádio, o que não foi tarefa fácil. Arcádio estava nas ruínas do velho forte e não permitiu que ele se aproximasse. Recebeu o convite com as palavras mais horríveis que Bebéi escutou na vida. Só não lhe deu um soco porque lembrou-se da surra que tinha levado quando dera um soco no rosto da Passarinho, mas transformou toda sua raiva em insultos e, mesmo depois que Bebéi se foi, ainda continuou gritando.

– E como foi? – perguntou Dioclécio

– Bem... – respondeu Bebéi – ... esperemos um dia ou dois... Tenho certeza de que vai aceitar.

Nem tiveram de esperar tanto. Ainda naquela mesma tarde, Arcádio apareceu na praça, sentou-se ao lado de Dioclécio e perguntou, desconfiado, se era verdade o que Bebéi lhe tinha proposto.

– Perfeito! – celebrou Jordi ao saber da visita. – Temos um *realejo*, um tocador e o primeiro número do jornal já quase pronto. Lançaremos no próximo sábado.

Era uma pena Cristina não estar ali para compartilharem aquela nova aventura.

Capítulo XX
O Realejo de Santa Clara sai pelas ruas da cidade, contando o preço do seu lixo

A primeira edição de *O Realejo de Santa Clara* trazia dois artigos. O primeiro, de três páginas, chamado "Quanto vale seu lixo", escrito por Jordi, que aproveitou as informações que tinham levantado nos tempos em que Carmela tinha sido candidata a prefeita. Comentava que, além da taxa de lixo que todos pagavam junto com a conta de luz, a empresa do italiano recebia alguns benefícios extraordinários.

Um desses benefícios era a compra, pela Prefeitura, de alguns novos equipamentos de coleta de lixo que depois foram transferidos sem custo para a empresa do italiano. A justificativa do prefeito foi que era importante que a empresa tivesse equipamentos modernos e se o italiano, "pobrezinho", não podia comprar, a Prefeitura compraria, o que gerou uma grande aprovação por parte da população, evidenciada, imediatamente, pelas pesquisas.

O outro benefício estava relacionado aos empregados que faziam a limpeza. Segundo o prefeito, eles seriam despedidos pelo italiano e a Prefeitura, numa demonstração do apreço que tinha pela gente que trabalhava ali, decidiu pagar seus salários e colocá-los à disposição da empresa de lixo. Mais um golpe demagógico que ajudou a melhorar ainda mais a popularidade do prefeito.

Outro benefício, ainda, era uma espécie de multa que a Prefeitura pagava à empresa de lixo e que era calculada em mais restrito segredo pelo irmão do prefeito, o tesoureiro da Prefeitura. O princípio que estava por detrás dessa multa, - e que o prefeito explicou pela televisão - , era que, como muita gente não pagava a taxa de lixo, a empresa do italiano não podia continuar funcionando. Por isso, inventaram uma fórmula que definia quanto as pessoas deveriam pagar por mês e se, por alguma razão, a receita com a taxa de lixo não atingisse aqueles níveis, a Prefeitura transferiria para o italiano a diferença.

Nunca ninguém explicou como se calculavam tais números, mas o resultado que Jordi tinha obtido mostrava que todos os meses a Prefeitura pagava uns vinte por cento mais que a arrecadação da taxa de lixo para o italiano. O que se dizia era que metade dessa quantia o italiano nem chegava a ver, pois ia direto para uma conta da Investimentos do Caribe, empresa com sede nas ilhas Cayman que o prefeito tinha com o irmão.

O curioso é que esse assunto da multa, ao contrário dos outros dois, quase não impactava as pesquisas de popularidade do prefeito.

O segundo artigo publicado pelo jornal na última página era a história de Laís, que sobrevivia vendendo pastéis da janela de seu pequeno quarto no casarão verde ao lado da Catedral. Ela era querida por todos na cidade, - seus pastéis mais ainda - e a fotografia de Laís sorrindo na janela circulou por toda a cidade.

A decisão de não incluir naquela edição nada sobre a nova Santa Clara tinha sido de Jordi.

– Primeiro precisamos ganhar credibilidade. Se começamos a denunciar os planos da nova cidade que ainda não conhecemos bem, corremos o risco de nos desmentirem. Sobre a coleta de lixo, ao contrário, temos toda a informação e sabemos de tudo, e ninguém poderá negar o que escrevermos.

Foram impressas duas mil cópias, que em menos de dois dias foram distribuídas. A Passarinho era a principal distribuidora. Ia de rua em rua, com sua expressão sorridente e alucinada, seguida por sua cadela magrinha, distribuindo os jornais; ao final da tarde, quando o calçadão se enchia de turistas, era ali que ela concentrava a distribuição. Naquele sábado, em um espetáculo de dança no Grande Teatro Colonial, a Passarinho permaneceu distribuindo os jornais na porta, até que o último convidado entrou no teatro. Segundo os cálculos de Jordi, somente ali ela distribuiu mais de duzentas cópias.

A barbearia de Rasta Bong era outro ponto de distribuição. Colocaram os jornais empilhados ao lado da cadeira da manicure e qualquer um podia passar e pegar seu exemplar. Outro ponto importante era a livraria-café de José Princesa e outro era a Praça Bolivar, na entrada do calçadão à beira-mar, ao lado da cadeira onde Cholo lustrava sapatos.

Tudo correu tão bem que decidiram imprimir mais mil exemplares. Isso, porém, custaria mais do que tinham em caixa. A ideia de cobrar pela publicidade estava nos planos de Jordi, mas para isso ele teria de registrar e legalizar a empresa que produzia os jornais, o que o levaria para a mesma ladainha de subornos, comissões e aborrecimentos que o frade estava enfrentando com a pizzaria.

Na Prefeitura, a reação ao *O Realejo de Santa Clara* foi imediata. O prefeito convocou seus assessores para uma reunião extraordinária no domingo. Ele estava com muita raiva. A sérvia ainda tentou acalmá-lo, mas não conseguiu. Ele queria vingança do frade, de Jordi e de todos os que estavam financiando ou apoiando o jornal. Deixou isso bem claro, já no início da reunião:

– Licença para servir bebidas alcoólicas na pizzaria, nem pensar! E quero que vocês investiguem agora mesmo se podemos deportar esse frade para a puta que o pariu. Pelo que me explicaram, ele estava autorizado a residir no país para trabalhar na igreja; agora que não é mais frade, que volte para a Itália! Investiguem também a situação da pilota Gigi. Se ela não estiver legal no país, vamos deportá-la junto com seu "noivo". – E esse Jordi, que foi contratado como professor? Quero que abram imediatamente uma sindicância para demiti-lo da Prefeitura e, enquanto não concluímos o processo, que ele seja suspenso, sem direito a honorários.

A sérvia fez tudo o que pode, mas o prefeito estava com tanta raiva que ela não conseguiu acalmá-lo. Ele voltava a insistir nas mesmas atitudes arrogantes que no passado quase lhe custaram a reeleição. Ela sabia que, com tempo, poderia convencê-lo a adotar uma postura mais inteligente e menos passional, mas o que a preocupava era que o prefeito tinha passado instruções que deveriam ser cumpridas imediatamente. Se o que estavam discutindo saísse daquela sala, os problemas seriam enormes. E foi exatamente o que ocorreu. Na tarde da segunda-feira, os assuntos que haviam discutido no domingo eram o tema das conversas em frente ao guarda-sol amarelo de Grená.

– O prefeito quer deportar Frei Bernardo e demitir Jordi, e tudo isso somente por conta do que saiu publicado no *Realejo*...

O primeiro resultado da reação do prefeito foi que todos aqueles que ainda não tinham lido o jornal, saíram para tentar encontrar um exemplar. O que estaria escrito ali de tão importante, para justificar aquela reação? E todos começaram a falar, então, da coleta de lixo, pois o problema, obviamente, não era o sorriso de Laís.

A Passarinho chegou à barbearia desesperada. Não havia mais nenhum exemplar para distribuir e todos estavam pedindo. Rasta foi obrigado a financiar a compra de papel para mais mil cópias e a manicure teve de deixar seus clientes esperando para ajudar Jordi a imprimi-las na copiadora alugada.

Rasta até pensou em utilizar Henry Moriarty para ajudar a dobrar as cópias, mas desistiu quando percebeu que, na sua velocidade, o rendimento era de aproximadamente uma cópia para cada cinco minutos. E isto porque só o que ele tinha de fazer era uma dobra, pois o papel já estava impresso na frente e no verso e, ao ser dobrado ao meio, virava um folheto de quatro páginas.

Gigi, quando escutou que o prefeito queria deportar o frade, foi pedir ajuda a Ilona, que chamou um advogado amigo para jantar no restaurante. O problema era complicado, pois o frade necessitava rapidamente obter uma autorização para residência, o que seria difícil sem o apoio do prefeito.

Com relação a Jordi, não havia muito o que fazer. Carmela estava furiosa; conversou com outros professores, mas concluiu que não seria legítimo montar um movimento de solidariedade a Jordi, pois ele ainda não havia dado uma única aula sequer.

O apoio a Jordi veio de onde ninguém esperava: dos jovens que viviam do outro lado do rio. Ali, onde moravam as famílias mais pobres, a frustração era grande. Os jovens não sabiam bem o que queriam e pareciam estar cada vez mais descontentes.

Jordi era um jovem como eles e apenas estava tentando trabalhar. Muitos o conheciam da escola, onde, além de ser um amigo de futebol e das festas, era também um dos melhores alunos. Passou em primeiro lugar no concurso para professor e agora, apenas por publicar um jornal denunciando o prefeito, iria perder seu emprego. Aquilo não era justo e causava indignação. Os ânimos se esquentaram e era disso que se falava por todos os cantos da cidade.

Com a pressa em lançar o jornal, não tinha sido possível esperar que ficasse pronto o *realejo* novo que a canadense estava montando, o que acabou criando uma excelente oportunidade, pois se no sábado eles tinham lançado o jornal, na semana seguinte lançariam o novo *realejo*.

Escolheram a noite de sexta, que era quando se apresentava a banda municipal. Ali estavam todos aguardando a abertura do concerto. Bebéi, o General da Banda, subiu ao coreto e anunciou que, a partir daquela noite, a praça teria um *realejo* permanente. A surpresa que se seguiu não foi apenas pela música, que era ainda mais bonita que todas as músicas de *realejo* que antes tinham escutado... e, sim, por conhecerem o tocador do *realejo*. Ele estava vestido com um dos fraques utilizados pelo mágico em suas apresentações, tinha o cabelo cortado, a barba feita e até dava a impressão de que tinha tomado um banho.

Muitos levaram um bom tempo para perceber que se tratava do detestado Arcádio, que a todos odiava, talvez, porque todos também o odiassem. Mas naquela noite ele não tinha que roubar, nem agredir ninguém com seus insultos; e pela primeira vez em suas lembranças, as pessoas da cidade o olhavam com um sorriso.

Depois daquela noite, Arcádio se transformou. Passava o dia na sombra da grande árvore girando a manivela do *realejo* e distribuindo os jornais. De longe, a Passarinho o olhava com orgulho... e com uma sensação estranha no peito, que ela não sabia explicar.

Capítulo XXI
Complica-se a neorrevolução, mas a sérvia conhecia bem Maquiavel

Os problemas do prefeito começaram com sua mulher, que entrou em seu gabinete como se um furacão tivesse atingido a cidade.

– Como pode passar pela sua cabeça deportar Frei Bernardo? – e depois de dizer isso, ela disse muitas coisas horríveis, mas a única que ele conseguia lembrar depois que ela saiu foi: "A única razão por que aguento continuar casada com você são os trabalhos que faço na Prefeitura com o frade. Se ele se vai, eu também me vou".

E não foi apenas ela. Todas as suas amigas, até aquelas que raramente saíam de suas casas para qualquer outra coisa que não fosse casamento de filho, enterro de parente e missa de domingo, se reuniram na Praça Bolívar, em frente à casa do prefeito, insistindo para que Frei Bernardo não fosse deportado de Santa Clara.

Ninguém se incomodou quando ele foi expulso da igreja. Todas ali sabiam que frades não podiam namorar, e, quando ele se enamorou de Gigi, o único caminho possível era abandonar a igreja. O que todas esperavam era que ele continuasse o trabalho social que fazia, não mais como frade e, sim, como assistente da mulher do prefeito. A pizzaria, como diziam as mulheres, era um mal necessário, pois de alguma forma ele teria de ganhar o dinheiro que precisava para sobreviver.

– E que isso não lhe tome muito tempo, pois o importante é o trabalho que ele faz com os que mais necessitam – diziam.

E se as senhoras religiosas saíram em sua defesa, a reação foi ainda maior entre aqueles que viviam do outro lado do rio. Ali estavam os que menos recursos tinham e todos os imigrantes que haviam abandonado regiões mais pobres para tentar a sorte na cidade, vivendo muitos deles nos albergues criados pelo frade. A notícia de que o prefeito queria expulsar Frei Bernardo do país provocou ali uma indignação geral.

Quando o prefeito chegou para a distribuição de brinquedos organizada por sua mulher, recebeu uma estrepitosa vaia e não teve como responder a todos os que insistiam em questionar se ele acreditava, realmente, na liberdade de expressão ou se era um grande hipócrita.

Na tarde daquele sábado, a sérvia o aconselhou a ficar calado por algum tempo, mas ele insistiu em subir ao coreto para a apresentação especial da banda e da orquestra do teatro comemorando o dia internacional da música. Foi apenas ele pisar no primeiro dos três degraus, que as vaias começaram e apenas não foram maiores graças à banda que, por instruções da sérvia, começou imediatamente a tocar.

A coisa foi ainda pior no domingo. Pela manhã, o jornal da senhora Rosenthal que cobria todo o país, estampava um editorial que tinha como título "A hipocrisia e a xenofobia de um prefeito", no qual o jornal o acusava com violência por dizer que Santa Clara Frente ao Mar recebia de braços abertos a todos os turistas, enquanto expulsava os estrangeiros que faziam um trabalho socialmente relevante para o país.

Para piorar ainda mais as coisas, domingo era o dia de inauguração de novas obras no cais dos turistas. O prefeito já vinha anunciando, fazia várias semanas, as reformas de modernização do velho cais, com novas cercas de proteção, banheiros, área para lanchonetes, assim como novas instalações de água e luz para todos os barcos ali ancorados. A obra havia custado uma fortuna, mas isso não importava, pois tinha sido financiada com um empréstimo internacional obtido pela Prefeitura e os primeiros pagamentos apenas seriam feitos dez anos depois, quando a dívida seria monstruosa e o prefeito certamente estaria bem longe dali, com uma conta bancária polpuda, pois, obviamente, a construtora contratada era a que ele tinha montado com o romeno.

Quando o prefeito chegou, o calçadão estava completamente tomado, mas não de turistas. Quem estava ali eram os imigrantes, os pobres e os indígenas, com cartazes defendendo Frei Bernardo. O prefeito tentou se aproximar deles, confiando em seu simpático sorriso, mas a vaia foi tão forte que sua segurança insistiu para que ele se retirasse.

E o domingo todo foi um tormento. Pela manhã, a vaia, no almoço, as infindáveis críticas das amigas de sua mulher no clube, e à tarde, as broncas da sérvia. E, como se isso tudo fosse pouco, à noite, mal ele se deitou, foi acordado por um telefonema do Tenente Pirilo:

– Puseram fogo em dois automóveis do outro lado do rio. Eram os veículos dos engenheiros que estão fazendo as medições para o novo projeto e que estavam estacionados em frente ao escritório dos árabes.

O prefeito pediu a Pirilo que passasse para buscá-lo e, rapidamente, se vestiu para ir verificar o que havia acontecido. Quando chegaram, já não havia mais fogo; apenas a fumaça e os dois carros completamente carbonizados.

Os investidores árabes haviam ocupado, com muita discrição, um depósito próximo à área do forte, para abrigar os engenheiros. Ali eles tinham três carros sem nenhuma identificação externa, dois dos quais foram destruídos. O terceiro se salvou, pois os engenheiros tinham ido com ele passar o final de semana em uma praia distante e apenas regressariam no dia seguinte.

O que mais preocupou o prefeito naquele cenário não foi o incêndio, mas a nota que encontraram na porta do depósito, com apenas uma palavra, mas bem eloquente: "Fora!".

"A sérvia tinha razão", foi o primeiro pensamento que lhe veio à mente.

– Você tem de se concentrar no que é importante – a sérvia lhe tinha dito aquela tarde. – E o importante, agora, é construir a nova Santa Clara, pois com isso você vai ganhar todo o dinheiro de que necessita para se aposentar como um príncipe. As críticas nos jornais não são importantes, , pois, com duas grandes festas que inventemos, poderemos fazer todos esquecê-las. O problema é esse frade jogando todos da cidade contra nós. A pizzaria e o jornalzinho O *Realejo* só estão criando problemas por sua culpa. Você tem ciúme do Frei Bernardo, porque ele é jovem, bonito e atrai todas as mulheres, incluindo suas amantes, que morrem de amores por ele. Mas, se insistir nessa teimosia estúpida, você vai ter sérios problemas, pois se perder o apoio dos mais pobres e dos jovens, nunca vai saber por onde a bomba vai explodir.

Ele estava furioso. Queria muito fazer "aquele filho da puta comer merda", mas isso teria de esperar. O novo projeto era muito importante e ele não podia arriscar tudo apenas para "ferrar" o cura. A sérvia tinha razão e naquela mesma noite ele avisou aos sócios e assessores: "Amanhã, na primeira hora, reunião de emergência na Prefeitura".

Compareceram todos, mas a única que falou foi a sérvia. O prefeito preferiu permanecer calado a seu lado.

– Hoje o senhor prefeito vai visitar as obras da Pizzaria do Frade, às doze e trinta, e junto com ele vão o senhor Tesoureiro, o senhor Chefe dos Bombeiros e todos os responsáveis pelas licenças de saúde, trabalho e bebidas. Todas as licenças da pizzaria terão de estar aprovadas antes do final da tarde! – E, para não deixar dúvidas, ainda complementou – Sem exceções! Por favor, pediria que os senhores façam a barba e coloquem roupas sóbrias e elegantes, pois teremos ali as emissoras de televisão.

Todos permaneceram calados e ela continuou falando, serenamente:

– Às três da tarde, o senhor prefeito vai receber em seu escritório esse jovem, Jordi, para informar que sua suspensão foi revogada e que ele começará a dar aulas já na próxima semana. – E complementou: – Para essa reunião, o senhor Secretário de Educação deve estar com o prefeito em seu gabinete.

O secretário concordou com a cabeça, enquanto os demais permaneciam calados... Ninguém se arriscava a mover-se e muito menos a falar.

– Tenente Pirilo nos vai informar que ontem, por um pequeno incêndio involuntário, provavelmente causado por alguém que descuidadamente jogou um cigarro pela janela de seu veículo, dois automóveis se incendiaram. Graças a Deus, não houve nenhuma vítima e os veículos estavam completamente cobertos pelo seguro. Qualquer informação de que o incêndio foi provocado por marginais deve ser negada com veemência, pois impactaria na imagem de nossa cidade frente aos investidores estrangeiros. A Prefeitura já emitiu um comunicado oficial à imprensa e o assunto está encerrado.

O prefeito concordou, com a cabeça, olhando para todos com expressão grave, para reforçar a importância do que a sérvia acabava de dizer.

– É importante que vocês saibam também que amanhã, às onze e trinta, o senhor prefeito vai visitar o *realejo* da Praça da Catedral e, junto com o jovem Jordi, vai anunciar que um grupo de amigos seus acaba de fazer uma importante contribuição para que *O Realejo de Santa Clara* continue, pois o senhor prefeito acredita firmemente na liberdade de expressão.

Depois disso, ela não falou mais nada, pois tudo já estava completamente claro. E, a seu lado, o prefeito apenas concluiu a reunião:

– Agora podem todos voltar ao trabalho.

Seus assessores não escondiam certa apreensão mas ali ninguém fazia perguntas.

Às doze e trinta, em ponto, o prefeito chegou à pizzaria, com seus principais assessores, os jornalistas, as câmeras de televisão e duas peruas com quarenta pizzas que ele mandou trazer de uma pizzaria da capital. Desceu do carro sorrindo, abraçou Frei Bernardo e, diante das câmeras, anunciou:

– Como está demorando tanto para abrir, decidi trazer as pizzas e toda a minha assessoria para ver o que precisamos fazer para inaugurar a pizzaria ainda esta semana. Santa Clara Frente ao Mar necessita urgentemente de uma pizzaria – e foi à imagem de sua chegada, seguida da distribuição de pizzas, que todos assistiram em suas casas nos principais telejornais.

– Sobre O *Realejo*, conversaremos amanhã – explicava a sérvia aos demais assessores. – Afinal, fazer dois eventos no mesmo dia seria um desperdício.

Conforme combinado, no dia seguinte, com a presença da viúva Rosenthal e de outros donos de jornais e emissoras de televisão, o prefeito entregou a Jordi um cheque que asseguraria pelo menos três meses de funcionamento do jornal. Ali, depois de fazer um violento discurso defendendo até a morte, se necessário, a liberdade de todos os cidadãos de expressar suas opiniões, o prefeito posou em frente às câmeras. A imagem que a população de todo o país viu pela TV naquela noite não foi a do discurso, mas a do prefeito girando a manivela do *realejo* ao lado de Arcádio, que agora não apenas era querido por todos, mas também aparecia na televisão ao lado do prefeito.

– Crise superada! – disse o prefeito a seus assessores no final do dia. – Retomemos agora o projeto da nova Santa Clara.

Capítulo XXII
A Guerra Fria na África confunde o húngaro e também as ideias de nossos amigos

Com toda a agitação daqueles dias Bebéi pouco tinha avançado em suas investigações e quando passou em frente à livraria e viu José Princesa sentado atrás do caixa lendo, sentiu que era um bom momento para retomá-las. Passou, então, pela Prefeitura para buscar algumas das pastas guardadas com Pirilo: a de W. Auden, com as informações da Argélia, e a de J. Conrad, com as informações do Congo. Por via das dúvidas, decidiu levar também as notas em espanhol que estavam dentro do livro de L. Durrel, sobre a República Dominicana, e as notas do livro de H. Boll, que mencionavam o tal Barba Roja.

Princesa, ao vê-lo chegar com as pastas na mão, já desconfiou o que lhe esperava e, animado, foi sentar-se em uma das mesas em frente à livraria. A praça parecia um circo antigo naquela tarde, com as pombas fugindo dos turistas, os cachorros correndo atrás da bola e Robespierre dançando, ao som da música de carrossel de cavalinhos que saía do *realejo* de Arcádio.

No coreto, Henry Moriarty estava reunido com alguns jovens – era o clube de leitores de poesia, que se reunia uma vez por semana, o único evento que tirava o velho hippie das escadarias da Igreja das Mercedes. Naquela tarde, Henry lia e comentava alguns poemas de Walt Whitman para um grupo de jovens e não tão jovens poetas, do qual fazia parte a mulher do juiz, amiga íntima da senhora do prefeito e poetisa com dois livros publicados, que todos os anos eram relançados em um evento que a Prefeitura organizava com a livraria de Princesa.

– Procurar informações em notas e livros é o que mais me fascina – comentou Princesa. – O cheiro de papel velho me excita muito mais do que o brilho das lantejoulas.

Bebéi não entendeu muito bem, mas pelo sorriso de Princesa interpretou que aquilo era alguma coisa positiva e lhe passou os documentos.

Na pasta do livro de Auden, estava a fotografia de seu pai, descrito como um dos principais responsáveis pela formação do Exército de Liberação Nacional, o braço militar da Frente de Liberação Nacional que levou a Argélia a se libertar do domínio francês em 1961, o que deixou Bebéi cheio de orgulho.

Princesa continuava com a ideia de que Arpad era um agente duplo e, pelo que pode observar pelas notas ali guardadas, seu trabalho em Argel foi apenas o de observar o que ali estava se passando e manter seus chefes informados. Pelas notas, não era possível identificar quem eram seus chefes, mas claramente não eram os comunistas. A preocupação que se evidenciava nas notas era a de entender até onde os líderes do movimento de liberação estavam envolvidos com os soviéticos e uma delas, que talvez um de seus superiores lhe havia escrito, dizia:

Para os franceses o tema da liberação de Argel é um tema passional, o que os está levando a perder sua racionalidade.

Para nós não é importante saber se a Argélia é um país livre ou não; o que não queremos é uma Argélia vermelha.

As notas escritas por Arpad apenas indicavam que ele estava aproveitando o tempo em Argel para aprender o francês e entender melhor seu trabalho. Havia, porém, uma nota escrita a Otto, e Bebéi aproveitou para comentar algo que o intrigava:

– Em muitos livros existem notas escritas por Arpad a este tal Otto, o que não chego a entender. Se ela as enviou, deveriam estar com Otto e não no arquivo de Arpad...

Princesa apenas escutou e, sem fazer comentários, leu a nota:

Pouco me pedem. Apenas que os mantenha informados. Sinto muita falta de Eszter e de Morgen. Quando penso em regressar a Berlim, sinto uma dor ainda maior, pois sei que ao rever Morgen vou sentir mais forte a dor de não ter Eszter ao meu lado. Aqui, pelo menos, posso sonhar com a ilusão de que as duas estão esperando por mim na casa dos Bider. A vida em Argel é bem agradável. O suor faz parte da pele e os odores são todos fortes e me recordam, a cada momento, que estou longe da Europa. A comida e a música são excelentes, mas o futebol que jogam por aqui é horrível.

– Arpad, aparentemente, passou pouco tempo em Argel – continuou Princesa –, pois ao final de 1958, foi transferido para o Congo.

E, depois de pensar um pouco, continuou:

– Isto me faz pensar em algo. Na Argélia a situação permaneceu bem agitada até 1962 e se eles o mandaram para o Congo em 1958, é porque o trabalho que Arpad fazia ali não era importante – e fez uma pausa. – E também porque o Congo era muito mais importante para os americanos em sua luta com os soviéticos pelo controle da África.

Princesa cada vez se animava mais em conhecer a vida do húngaro. As notas de Arpad lhe permitiam sentir como se estivesse participando daqueles eventos que apenas conhecia pelos livros que tinha lido.

– Nas notas sobre o Congo, que estavam no livro de Conrad, é possível perceber que ele teve ali uma participação mais relevante e que foi lá que começou a se interessar pelo que se passava em outros países naquele período. Em uma das notas, ele mesmo descreve isso:

> *Estou em Kinshasa, mas com os olhos abertos para entender o que acontece na República Dominicana, em Jakarta e em toda a África Oriental. É como se todo o mundo estivesse explodindo ao mesmo tempo. Coisas muito estranhas acontecem por todas as partes*

Princesa explicou a Bebéi que a CIA tinha estado envolvida em todos aqueles países e que quando Arpad mencionava África Oriental, ele estava, provavelmente, se referindo à Eritreia, à Etiópia e talvez ao Chade, onde também havia movimentos revolucionários no início dos anos 1960.

– Tudo isso – disse Princesa – parece confirmar que Arpad trabalhava para a CIA. Em 1965, os americanos estavam preocupados com os movimentos revolucionários do Congo, pois ali Che Guevara e os cubanos apoiavam os rebeldes. Também os preocupavam os esforços para levar Bosch de volta ao poder na República Dominicana. Os americanos acreditavam que outra revolução como a de Cuba no Caribe seria algo muito perigoso, que poderia desestabilizar toda a região.

A CIA também estava apoiando Suharto na Indonésia a dizimar os comunistas e, em vários países da África Oriental, começando pelo Chade, passando pelo Sudão, Etiópia e Eritreia, havia movimentos políticos que preocupavam os americanos pela presença soviética apoiando grupos revolucionários e independentistas locais.

Bebéi escutava a tudo que Princesa dizia, esforçando-se para não se perder entre todos aqueles países que ele mencionava, mas o que mais lhe interessava mesmo era compreender porque o húngaro tinha desaparecido. Ele sabia que por trás de todo o mistério havia uma razão. Não tinha sido por acaso que a gaivota pousara em seu terraço, assim como não tinha sido por acaso que o arquivo do húngaro caíra em suas mãos. Ele ainda não sabia por que, mas tinha como certo que, se continuasse procurando entender, em algum momento tudo se esclareceria. Sempre tinha sido assim em sua vida e daquela vez não ia ser diferente.

– São muito interessantes também estas notas que estavam no livro de Henrich Boll – continuou explicando Princesa. – São notas do Barba Roja, que era o principal coordenador de toda a atuação do governo cubano na América Latina e na África. Pelo que leio nelas, foi o próprio Guevara quem apresentou Arpad a Barba Roja em um encontro que tiveram em Argel, e isso não foi no período em que ele viveu ali, mas depois. Talvez Arpad tenha passado por ali para participar de uma reunião e conheceu o Comandante Piñero, que era o nome do Barba Roja.

Bebéi não entendia muitas das coisas que Princesa explicava, mas isso não importava, pois Princesa estava entendendo e ele confiava no que ele lhe dizia.

Depois de ler em silêncio algumas das notas de Barba Roja, Princesa fez um comentário definitivo:

– Aqui está claro que seu amigo húngaro fazia um jogo duplo. Por um lado, trabalhava e recebia salário da CIA para mantê-la informada de tudo; por outro, por amizade a este Otto e talvez também ao Che, ele mantinha Barba Roja informado de tudo o que sabia, não apenas no Congo mas também na República Dominicana, na Indonésia e em outros países de interesse para os americanos.

Bebéi contou, então, a Princesa sobre sua conversa com a Senhora da Embaixada americana e explicou que ela se comprometera a descobrir se o húngaro trabalhava mesmo para a CIA. Princesa comentou, sorrindo, que, provavelmente, ela não ficaria feliz em saber que o húngaro tinha simpatia por seus inimigos.

– A partir de 1966 as coisas se acalmaram um pouco na vida do seu amigo – explicou Princesa. – Os americanos, com suas tropas, asseguraram a eleição de Balaguer na República Dominicana e a eliminação de todos os que apoiavam Juan Bosch. Em 1967, Suharto assumiu o poder com total controle sobre os comunistas da Indonésia e Mobutu se consolidou no poder no Congo. Pelo que indicam estas notas escritas pelo próprio Arpad, foi nesse período que ele começou a se dedicar a um projeto com os tutsis. Se entendi bem, ele estava fazendo isso para os americanos, que queriam evitar que os tutsis apoiassem os revolucionários pró-soviéticos. Parece-me que se tratava de um grande projeto de assistência técnica para desenvolver a agricultura na região onde eles viviam, que ele mesmo ajudou a preparar e implementar e, pelo que li, um projeto onde Morgen, sua filha, também estava envolvida.

Pouco a pouco Bebéi ia entendendo melhor a história do húngaro. Um funcionário do serviço secreto americano vivendo no Congo, mas que parecia ser um agente infiltrado pelos comunistas trabalhando em coordenação com Barba Roja.

– Ao final dos anos 1960 – continuou Princesa –, ainda vivendo em Kinshasa, ele parecia dedicar toda sua atenção a outra cidade do Congo, onde estavam implementando o projeto: Kisangani, a cidade do endereço da neta... Existe uma outra nota, esta de 1975, onde aparecem algumas referências a um certo Francisco, que, aparentemente, trabalhava em Angola e Moçambique, e com quem Arpad mantinha contato.

Bebéi interrompeu para comentar que no livro de Anatole France havia algumas notas em português que falavam de Angola e Moçambique e que talvez a palavra-chave fosse esse Francisco, ali mencionado. Comentou também que havia outros livros com notas em inglês que poderiam ajudar a entender tudo o que Princesa contava, como o livro de Ibsen, onde havia notas sobre a Indonésia, e o livro de Kafka. Para este livro Bebéi ainda não sabia se a palavra-chave era a cidade de Khartum, ou se era simplesmente a letra K, pois algumas das notas que ele continha tinham sido escritas por alguém que assinava como "Agente K".

Os dois estavam entusiasmados com o quebra-cabeça, mas tiveram de interromper a conversa quando Jordi chegou e sentou-se com eles, com uma expressão preocupada.

– Acho que terei de seguir sozinho com O *Realejo*. Não posso mais pedir a Frei Bernardo que me ajude.

Os dois escutaram sem entender e ele explicou:

– No dia em que visitou a pizzaria, o prefeito comentou em particular que ele e sua mulher apoiariam a preparação dos documentos para que Frei Bernardo recebesse sua autorização de residência definitiva em Santa Clara e que sua mulher seria a responsável por isso junto ao serviço de imigração. Não seria justo, agora, pedir a ele que nos ajude a brigar com o prefeito. E mais: a verdade é que ele já não tem tempo; passa todo o dia ocupado com os preparativos para a inauguração da pizzaria e ajudando a mulher do prefeito em suas atividades assistenciais. Mas não se preocupem, que eu posso tocar o jornal sozinho e Cristina já me disse que quando voltar vai me ajudar.

Nesse momento, os três pararam de falar, surpresos com o que viam na Praça da Catedral.

O velho Dioclécio Bergantim vinha caminhando em direção a eles, sereno como sempre, com sua barba branca e sua expressão de filósofo, vestido com a mesma capa de chuva cinza e velha que usava desde o dia em que chegou a Santa Clara. Mas, a seu lado, uma surpresa: uma mulher loira e exuberante de mais de um metro e oitenta de altura, que parecia ser uma daquelas mulheres com quem os amigos do prefeito chegavam às suas festas no hotel dos espanhóis. Vinham conversando em direção à mesa da livraria, onde os três amigos estavam sentados.

A surpresa de José Princesa aumentou ainda mais quando Dioclécio, de forma educada, apresentou a loira que o acompanhava:

– Amigos, esta é a senhora Dusanka – e, olhando para ela –, senhora Dusanka, estes são meus amigos, senhor Bebéi, senhor Princesa e senhor Jordi.

Dusanka era a tcheca que atendia os turistas no hotel e que iria ajudar Bebéi a entender o que estava dentro livro de Pasternak, mas eles levaram um bom tempo para entender, talvez pela beleza da tcheca ou pelo choque ao ver aquele contraste: uma mulher alta, sensual, com salto alto e vestida com roupas elegantes caminhando ao lado de Dioclécio, que apenas trocava de roupa quando elas estavam tão velhas que dona Cécy, para forçá-lo a isso, às vezes, derrubava propositalmente nelas um copo de vinho.

Dusanka já havia lido as notas e comentou que elas mencionavam um apartamento onde vivia uma certa Natasha. Disse também que uma das notas fazia referência aos principais documentos de registro do apartamento, sua localização, alguns detalhes das contas de luz e água, e o nome de um escritório de advocacia em Andorra, que administrava o apartamento. A outra nota trazia o número de uma caixa-postal que, aparentemente, pertencia à mesma Natasha.

"Será que as notas do livro de Neruda são sobre Natasha?", pensou Bebéi. Mas como saber, se aquelas notas estavam em russo?

Não havia muito mais o que eles pudessem fazer. Bebéi, então, pediu a Dusanka que o ajudasse a escrever uma carta para o endereço da caixa postal de Natasha, contando que ele estava tentando descobrir por onde andava Arpad Corvinus e pedindo sua ajuda – o que a tcheca fez ali mesmo na mesa da livraria de José Princesa.

Ao partir, Dusanka deu um beijo em cada um dos quatro que, com os olhos, acompanharam os movimentos de seus quadris até que ela entrou num táxi e se foi.

– Tem varizes – foi o comentário fulminante de Princesa.

Capítulo XXIII

Ao final da reunião, uma surpresa e o tão esperado voo da gaivota

As investigações de Bebéi em poucas semanas haviam transformado o húngaro em uma das pessoas mais conhecidas em Santa Clara. Falavam dele em frente à janela, onde Laís vendia seus pastéis, e ali era José Princesa quem comentava com Heitor e Coronel Vieira que o húngaro era um agente duplo. Na sala de Pirilo na Prefeitura, o que se discutia eram as dúvidas com relação à tentativa de roubo ao apartamento. Pirilo insistia com seus assistentes que alguma coisa os ladrões estavam buscando. E, como dizia a Senhora da Embaixada americana, "alguma coisa que certamente valia muito dinheiro".

Sob o guarda-sol amarelo, Grená contava detalhes das viagens do húngaro e até já sabia explicar onde ficava o Congo e Angola.

– Sempre desconfiei do húngaro – dizia, próximo ao guarda-sol, a japonesa dona da banca de verduras no mercado público. – Ele sempre comprava a mesma coisa, nunca perguntava nada e jamais reclamava. Pagava tudo em dinheiro e nunca discutia o preço. Ninguém é assim. Com certeza estava escondendo algo. Como aquela chinesinha, que todo mundo pensava que era puta de cabaré e depois virou embaixadora – ela se referia à Anã Chinesa que, a japonesa sabia, nunca contou com a simpatia de Grená.

Do outro lado da cidade, Clara, a noiva de Pirilo, insistia com ele:

– Tem algo muito estranho aí. Foi você mesmo quem desconfiou daquele advogado gringo e agora já sabe que foram eles que contrataram os bandidos que entraram no apartamento. Sem Cristina, seus assistentes não são capazes de encontrar um elefante escondido na fonte da Praça da Gabriela. Não vejo outra alternativa: você mesmo tem de descobrir o que está acontecendo e a única pessoa que sabe de alguma coisa é Bebéi.

Tenente Pirilo não gostava da ideia de perder tempo lendo papéis velhos, mas Clara tinha razão. Com Cristina estudando fora, ele não tinha outra alternativa e acabou sendo ela mesma quem, por telefone, diretamente de Boston, lhe propôs uma solução:

– Converse com Jordi e convide José Princesa e Bebéi para uma reunião. Peça que eles contem tudo o que já descobriram. Eu converso quase todos os dias com Jordi e, mesmo de longe, posso ajudar.

Foi apenas assim, depois da bronca de Clara e da sugestão de Cristina, que Pirilo, finalmente, decidiu assumir com seriedade o controle das investigações e convidou os três para uma reunião em seu gabinete.

Em volta da mesa estavam Pirilo, Jordi, Princesa e Bebéi, e diante deles as pastas azuis. Todos tinham também uma cópia da folha preparada por Bebéi onde estava anotado o que ele já sabia e o que queria saber sobre cada uma delas:

A –	Auden	Francês	Argélia
B –	Boll	Espanhol	Barba Roja
C –	Conrad	Francês	Congo
D –	Durrel	Espanhol	R. Dominicana
E –	Elliot	Alemão	Eszter
F –	France	Português	Francisco?

G – Grass	Espanhol	Guevara
H – Hesse	Húngaro	Horthy
I – Ibsen	Inglês	Indonésia?
J – Joyce	Húngaro	Janus
K – Kafka	Inglês	K o Khartum?
L – Lawrence	Húngaro	Lali
M – Marai	Inglês/Alemão	Morgen
N – Neruda	Russo	Natasha?
O – Orwell	Alemão	Otto
P – Pasternak	Tcheco	Praga
Q – Quasimodo	Francês	Quebec
R – Rilke	Russo	?
S – Szabo	Espanhol	Santa Clara
T – Tolstoi	Alemão	Tamara
U – Unamuno	Inglês	?
V – Virgílio	Inglês	?
W – Whitman	Inglês	?
X – Xingjiang		El último libro
Y – Yeats	Russo	?
Z – Zola	!!!	

Olharam com atenção cada uma das pastas. Começaram pelas que tinham as notas em húngaro. Jordi leu a carta do arquivista de Budapeste e depois comentou o que Frida tinha contado sobre seu resgate na Sibéria por Eszter.

Leram depois as notas que estavam em espanhol e que confirmavam a teoria de Princesa de que o húngaro era um agente duplo. Jordi, que conhecia um pouco de inglês, comentou que as notas que estavam no livro de Ibsen e de Kafka confirmavam a teoria de que o húngaro era um agente duplo interessado em coisas que aconteciam em outros países.

– Uma das notas que estavam no livro de Ibsen – explicou ele – comenta que os americanos haviam preparado algumas listas com nomes de pessoas que pertenciam ao partido comunista, o PKI, e as tinham entregado em segredo ao General Suharto. E no livro de Kafka existem várias notas mencionando algumas execuções, apoiadas pela CIA, de líderes de movimentos nacionalistas e muçulmanos, que se alinhavam com os soviéticos, o que era curioso, pois não parecia ser algo favorável aos americanos, para quem Arpad supostamente trabalhava.

Depois desse comentário, Bebéi propôs olharem a pasta com as notas que estavam dentro do livro de Anatole France. Ele já as tinha lido, mas nenhum de seus companheiros as conhecia. Eram notas que não estavam assinadas, provavelmente, do tal Francisco, mencionado em algumas outras notas.

Elas descreviam, de forma bem crítica, o que a CIA estava fazendo naqueles países. A primeira era de 1966 e mencionava que Agostinho Neto, o líder dos revolucionários, tinha se encontrado com Guevara e que seu grupo, o MPLA, estava recebendo apoio do Barba Roja e da Alemanha Oriental.

– O que até podia indicar que Otto estava envolvido – comentou Princesa.

A nota mencionava que "os portugueses, com todos os seus problemas internos, não vão aguentar a pressão e, provavelmente, Agostinho Neto assumirá o controle do país em aliança com os soviéticos". E reproduzia uma instrução que o tal Francisco tinha recebido de seus chefes:

> *Tens de fazer todo o possível para impedir a aliança entre Agostinho Neto e os demais movimentos revolucionários. É importante que eles se dividam e sigam lutando entre eles. Busque apoio em seu amigo de Kinshasa para colocar os do Enclave de Cabinda contra Angola. É muito importante envolver Mobutu nisto, pois quanto maior a tensão entre eles mais difícil será que controlem o petróleo. Faça o que puder para apoiar os outros grupos, Golden e a FNLA; eles são um*

desastre, mas é tudo o que temos, pois Sawimbi está fascinado pelos chineses. Não temos como evitar que os soviéticos tomem o controle e, por isso, não temos outra alternativa. A única coisa que podemos fazer é provocar um colapso no país.

– Não entendo – perguntou Bebéi – os americanos queriam provocar um colapso em todo o país apenas porque esse Agostinho Neto era amigo dos comunistas?

Princesa percebeu que responder àquela pergunta não seria algo simples e tentou evitar a discussão. Ignorou a pergunta e continuou lendo as notas:

– As outras notas são de Moçambique e o que contava o tal Francisco não era muito diferente. Ali não era Agostinho Neto quem liderava o movimento e, sim, Samora Machel, da Frelimo, a Frente de Libertação de Moçambique, e Francisco descrevia as instruções que tinha recebido:

Apoiar Dhlakama, pouco importando o que pensam nossos colegas do Departamento de Estado. Eles estão tentando convencer Samora Machel a se aliar a nós; mas, por via das dúvidas, é importante continuar debilitando o governo e o país.

Bebéi estava confuso. Em sua visão romântica, os espiões internacionais procuravam os criminosos. Como era possível que alguns quisessem colapsar um país?

Princesa percebeu a confusão no olhar de Bebéi, mas evitou discutir. Ali a ideia não era questionar a ética da política internacional e, sim, saber o que o húngaro tinha feito de tão importante e que valia tanto dinheiro a ponto de atrair a atenção de um escritório de advocacia de Miami

– Ele viveu no Congo – disse Princesa –, mas fez várias viagens e estava atento ao que se passava em vários países africanos.

Já sabemos que esteve na Argélia, onde se encontrou com Barba Roja. Esteve discutindo sobre a República Dominicana em uma reunião que não sabemos onde foi, mas desconfiamos que foi em Havana. Suspeitamos, pelo que Jordi leu nas notas, que Arpad esteve em Khartum e em Adis Abeba, e temos indícios de que esteve envolvido com Jakarta e que se interessava muito pelo que ocorria ali. Mantinha contatos com esse Francisco, com quem discutia assuntos relativos a Angola e Moçambique. Ou seja, o húngaro não era um pé-rapado qualquer. Ele trabalhava com quase todos os países da África em que havia movimentos revolucionários. E sabemos que, ainda que trabalhasse para os americanos, ele não tinha simpatia por muitas das coisas que eles faziam.

Repassaram depois o que faltava na lista e concordaram que para as notas em alemão a única opção era Frida; e como Bebéi era o único ali que conseguia conversar com ela, foi ele encarregado de procurá-la. Para as notas que estavam em russo seria mais fácil, pois Pirilo pediria ajuda a Ludmilla. A única dúvida era com relação às notas escritas em inglês. Pirilo e Princesa estavam em dúvida se deveriam pedir ajuda à Senhora da Embaixada, pois talvez aquelas notas mencionassem alguma coisa que ela queria esconder.

– São 26 livros e apenas 24 envelopes... Por quê? – perguntou Pirilo ao final.

E foi apenas aí que comentaram que o livro de Xingjiang que não tinha nenhuma nota e que nele Arpad havia escrito frase "Meu último livro... de que me serve continuar lendo?", que ninguém, até então, tinha entendido.

O outro era o livro de Zola e Bebéi, finalmente, decidiu compartilhar com eles seu segredo, contando sobre a chave que tinha encontrado no pequeno envelope escondido no livro.

– Talvez seja essa chave que o advogado de Miami está procurando – comentou Pirilo.

– Ela está muito bem guardada – respondeu Bebéi. E quando Pirilo sugeriu que talvez fosse melhor guardá-la no cofre da Prefeitura, Bebéi retrucou com firmeza – Ela está bem escondida e prefiro deixá-la onde está. Sei que ali ninguém vai encontrá-la. – E não houve forma de convencê-lo do contrário.

Depois da reunião, Bebéi regressou ao apartamento onde uma nova e, desta vez, agradável surpresa o esperava – uma mensagem escrita em francês, que dizia:

Estou na Pousada dos Caracóis, em frente à Embaixada da China. Laurence.

A neta do húngaro não tinha respondido à sua carta e, sim, tomado um avião em Kinshasa para encontrá-lo em Santa Clara. Bebéi se entusiasmou tanto, que foi direto a pousada.

Laurence era uma mulher africana tão bonita que parecia uma modelo. Era alta, o que lhe dava uma forte presença, ainda que seu rosto mantivesse uma expressão tímida. Sua pele tinha a cor da canela e seus olhos eram de um azul brilhante, herança de sua mãe. As sobrancelhas eram especiais: tinham algo de forte e exótico, talvez cigano, talvez judeu, mas, certamente, algo mediterrâneo. E, para alegria de Bebéi, era tão meiga e doce quanto a pequena Irigandi.

Começaram a conversar ali mesmo na varanda da Pousada e em poucos minutos Bebéi já estava encantado com ela. Laurence lhe contou que tinha quase trinta anos e que seu pai era tutsi. Falava um francês perfeito. Havia estudado na Universidade de Grenoble e, ainda mais importante do que tudo, tinha uma enorme curiosidade em conhecer mais sobre a vida de seu avô. Contou que Morgen, sua mãe, quase nunca o mencionava. Era como se ele não tivesse existido. Somente quando já estava bem debilitada pela tuberculose, poucos dias antes de morrer, que ela comentou: "Talvez eu tenha errado em não dar ao seu avô uma chance de explicar o que fez, e por isso nunca soube quais foram as suas razões".

Laurence nunca chegou a compreender; nem seu pai ou a avó com quem vivia lhe souberam explicar. O que tinha se passado entre Arpad e Morgen era algo que apenas os dois conheciam.

Bebéi, então, contou-lhe tudo o que sabia. Contou que Arpad tinha desaparecido dez anos antes, que alguém mais estava interessado em descobrir o que ele sabia e por isso tinham roubado seu apartamento. Contou também que tinha com ele todos os livros nos quais Arpad guardava suas notas e a levou até o apartamento do avô, onde puderam entrar graças à chave que continuava guardada no rodapé. Ali era pouco o que podiam ver, mas ainda que fosse pouco, tudo ali era dela, pensava Bebéi.

Subiram também ao apartamento de Bebéi, pois ele insistia em que ela conhecesse a gaivota. Quando entraram e ele abriu a porta de vidro do terraço, Laurence sentou-se no chão e acariciou a gaivota que, pela primeira vez desde que havia pousado ali, deixou de olhar para o mar e virou seu bico em direção a ela. Bebéi preferiu deixá-las a sós com o cachorro, que também se acostou ao lado das duas no terraço.

Aparentemente, aquele carinho era só o que faltava para a gaivota recobrar o desejo de voar, e quando Laurence se levantou e fechou atrás de si a porta do terraço, a gaivota, finalmente, saiu voando.

O cachorro latiu, balançando o rabo, e eles ainda tiveram tempo de ver a gaivota, sobrevoando a Praça da Gabriela, tomar a direção do forte, onde foi juntar-se a outras gaivotas que voavam sobre a baía naquele final de tarde.

Fosse o que fosse que ela tinha, já estava curada e, com o carinho da neta de Arpad, finalmente, voltou a voar. Quem ficou triste foi o português do supermercado, que teve de cancelar sua campanha publicitária.

Bebéi permaneceu ali pensando por muito tempo. Estaria a gaivota apenas esperando Laurence chegar?

Capítulo XXIV
Laurence chega com histórias de Banyamulenges e de Kisangani

Depois de ver a gaivota partir Bebéi, levou Laurence ao Café para que ela conhecesse Ilona, Irigandi e todos os seus amigos que ali trabalhavam. O que ele não compreendia era por que os homens se calavam quando viam Laurence. Foi Ilona quem explicou, falando baixinho em seu ouvido:

– Não conte a Gigi o que eu vou lhe dizer, pois ela certamente vai ficar com ciúme, mas Laurence é uma das mulheres mais bonitas que já entraram neste Café.

Um comentário comedido, se comparado ao que disse Lola Marlene quando entrou no Café exuberantemente vestida para seu espetáculo no cabaré:

– Você é uma mulher ou uma deusa que veio à terra só para despertar inveja em todas nós?

Laurence sorriu e baixou os olhos quando Bebéi traduziu o que haviam dito. Era curioso, pensava ele: ela combinava exuberância com timidez, algo que contrastava completamente com a nada tímida Lola Marlene.

Já no primeiro dia, Laurence se fez amiga de todos, desde o cachorrinho de Irigandi até as assistentes de dona Cécy na cozinha. E, no jantar, contou história do lugar onde vivia e mostrou fotografias que Bebéi descreveu em detalhes para Irigandi.

Contou naquela noite que o pouco que sabia de seu avô Arpad é que ele trabalhava para os americanos e era o responsável por um importante projeto financiado por eles para ajudar a todos que, como ela e seu pai, eram Banyamulenge. Explicou que eram assim conhecidos os congoleses tutsis que viviam na região das montanhas, entre Kisangani, a cidade no alto do rio Congo, e Bukavu à beira do lago Kiwu, na fronteira com Ruanda.

– Foi por conta do projeto de meu avô que minha mãe conheceu Kisangani.

Contou que sua mãe vivia e estudava em Kinshasa, a capital, mas como seu pai era responsável pelo projeto, ela sempre o acompanhava em suas viagens a Kisangani. Eles iam tanto por lá que Arpad decidiu comprar uma pequena casa onde Laurence ainda vivia com sua outra avó, a mãe de seu pai.

– Quando minha mãe tinha dezesseis anos, eles tiveram a primeira briga. Meu avô queria que ela fosse para a universidade na Alemanha e ela mentiu dizendo que estava enviando todos os papéis para inscrição, mas a verdade é que ela não queria ir. Seu desejo era viver em Kisangani e quando ele descobriu já era tarde; o curso na universidade estava começando e minha mãe não estava inscrita. Meu avô tentou tudo o que pode e, com a ajuda de um amigo de Berlim, até conseguiu que mesmo sem inscrição ela fosse aceita, mas ela se recusou e não foi.

Laurence continuava contando sua história com o filhotinho de Irigandi nos braços e o cachorro de Bebéi a seus pés.

– Foi por causa dessa briga que minha mãe decidiu ir viver em Kisangani. Isso foi mais ou menos em 1969. Desde então, ela nunca mais saiu dali.

Ela explicou que entre Kinshasa, a capital do Congo, até Kisangani havia um grande movimento de barcos e de pessoas pelo rio, mas que depois de Kisangani, até a fronteira com a Ruanda, tudo eram montanhas e selva.

– É uma parte do país que poucos estrangeiros conhecem e onde minha mãe conhecia cada lugar e cada família. Todos ali a queriam muito e não apenas pelo que fazia pelo projeto mas pelo carinho e o tempo que ela dedicava, viajando por todos os lugares e conhecendo todas as pessoas. Minha avó contava que ela algumas vezes desaparecia de Kisangani; ficava por meses metida nas montanhas. Sua grande paixão era o Parque Nacional de Maiko e, segundo o que dizem ali, quando tinha dezenove anos, minha mãe foi pessoalmente pedir ao presidente Mobutu que assinasse a lei criando o parque.

Bebéi se esforçava para traduzir tudo o que Laurence dizia em francês. E ela continuava contando:

– A ruptura com meu avô foi mais tarde, e nem minha avó sabe por quê. Foi alguma coisa que ele fez... De repente, minha mãe nunca mais falou com ele e abandonou o projeto em que trabalhava. Mas tudo isso foi antes de eu nascer.

Até dona Cécy abandonou a cozinha para sentar-se no terraço e escutar as histórias que Laurence contava. A neta do húngaro que viveu em Santa Clara sem que ninguém o notasse era uma mulher que encantava a todos pela exuberância de sua beleza.

– Minha mãe continuou vivendo em Kisangani, mas nunca mais trabalhou com meu avô. Foi por essa época que ela conheceu meu pai e fez a sociedade. Ele tinha um barco já velho e transportava mercadorias entre Kinshasa e Kisangani, e como ela tinha um pouco de dinheiro economizado pelo meu avô para financiar seus estudos na universidade, minha mãe propôs que os dois comprassem um barco novo juntos. Meu pai continua até hoje transportando carga com o mesmo barco, mas minha mãe nunca trabalhou com ele. Só o que ela queria era conseguir o dinheiro de que necessitava para continuar vivendo em Kisangani e continuar ajudando os Banyamulenges. Ela também criou uma Fundação para receber doações e financiar seus projetos. Uma fundação que existe até hoje.

Laurence tinha uma voz doce, falava baixo e contava tudo com uma grande timidez, mas para os que viviam em Santa Clara a África, o Congo e os tutsis eram palavras tão exóticas que todos tinham curiosidade em escutar.

– Alguns anos mais tarde – disse ela – os dois se casaram e eu nasci. E todas as recordações que tenho da infância são ao lado de minha mãe. Nunca fui à escola. Foi ela quem me ensinou tudo. Viajávamos sempre juntas e todas as noites, não importava onde estivéssemos, estudávamos juntas. Com ela aprendi francês e alemão. Aprendi matemática, história e tudo o mais que deveria aprender.

Irigandi escutava e pensava que se sua mãe não tivesse morrido protegendo o segredo do Darién ela, certamente, lhe teria ensinado tudo, assim como Morgen ensinara a Laurence.

Laurence prosseguiu:

– Toda aquela região das montanhas sempre foi muito perigosa. Ali estavam os guerrilheiros do Simba, mas nunca tivemos problemas. Viajávamos por toda a região onde viviam os tutsis e a grande preocupação de minha mãe eram os conflitos com os hutus, que cada vez ficavam mais evidentes.

A menção a tutsis e hutus aguçou a atenção de José Princesa, que já havia lido muitas coisas sobre o conflito entre aqueles dois povos africanos.

A jovem continuou a relatar:

– Minha mãe morreu em 1991, quando eu tinha dezesseis anos, e depois de sua morte passei a viver com minha avó em Kisangani. Naquela época, minha avó quis que eu participasse de um concurso para bolsas de estudo do governo francês. Ninguém acreditava que eu pudesse passar, pois nunca tinha assistido à uma única aula na escola e apenas havia estudado com a minha mãe, mas passei em uma das primeiras posições. Graças à minha mãe ganhei a bolsa e fui estudar na França – disse isso com orgulho. – Quando estava na universidade, em Grenoble, fiz tudo o que podia para tentar encontrar meu avô; e foi quando descobri que ele vivia em Santa Clara. Enviei a carta, mas como ninguém respondeu desconfiei que nunca mais iria vê-lo. Quando terminei meus estudos, voltei a Kisangani para trabalhar na Fundação tentando dar continuidade ao trabalho que minha mãe fazia, mas as coisas estão cada vez piores. Enquanto estive na França, a Fundação cresceu muito graças às doações recebidas, mas aquele também foi o período da guerra civil e do massacre dos tutsis em Ruanda. Hoje é quase impossível viajar por ali, pois toda a região das montanhas é controlada por caçadores clandestinos e guerrilheiros. Mas, então, – disse sorrindo –, recebi a carta de Bebéi e peguei o primeiro voo que pude para vir aqui encontrar com vocês.

Bebéi estava feliz em conhecer Laurence e escutava com atenção tudo o que ela dizia, mas continuava sem saber como Laurence poderia ajudá-lo a entender por que Arpad partira daquela maneira. Ele era um espião duplo, que tinha feito algo de mal que sua filha nunca aceitara, mas por que tinha partido? Por que tinha deixado a panela sem lavar na cozinha e todas aquelas notas guardadas dentro dos vinte e seis livros? E por que aquela gaivota tinha aterrissado em seu terraço? Aquilo tudo deveria ter um significado e ele não descansaria enquanto não descobrisse.

Naquela noite, Bebéi pediu a Tenente Pirilo que levasse as pastas azuis com as notas que estavam dentro dos livros de Marai, Orwell e Tolstoi para o Café. Laurence falava alemão e, talvez com o que estava nos envelopes, ela poderia saber um pouco mais do que havia acontecido entre sua mãe e seu avô e ajudá-los a compreender o que estava escrito ali.

Combinaram de se encontrar no dia seguinte na Prefeitura, para que ela visse as outras pastas e, ao sair, Pirilo aproveitou para mencionar algo que o preocupava:

– Ainda não entendo o que querem aqueles advogados, e devo dizer que não confio neles. Se eles chamarem ou passarem pelo hotel, por favor, não converse com eles sem que eu esteja a seu lado. Pode ser a qualquer hora do dia ou da noite, não importa: por favor, me chame para acompanhá-la.

E foi muito bom que ele tivesse dito isso, pois naquela mesma noite os advogados telefonaram para ela na pousada. De alguma forma, eles tinham descoberto que ela havia chegado a Santa Clara. Laurence escutou e, seguindo a recomendação de Pirilo, propôs um encontro no dia seguinte, no escritório dele na Prefeitura.

– Tenente Pirilo insiste em participar – disse ela,o que aparentemente desagradou aos advogados.

"Como é possível eles terem descoberto tão rapidamente que ela chegou?", pensou Tenente Pirilo quando Laurence lhe contou do telefonema dos advogados. "Será que eles também têm câmeras instaladas na cidade?"

Pirilo continuava pensativo. Estaria ficando tão paranóico quanto Coronel Vieira, que passava o dia dizendo que todos vigiavam seus movimentos? O problema com isso era que Pirilo sabia que, no caso do Coronel, ele tinha razões para desconfiar, pois a Prefeitura tinha instalado uma câmera com microfones em frente às escadarias da Igreja das Mercedes e seus assistentes podiam dizer com precisão quando o Coronel acordava, dormia, peidava e até mesmo quando olhava os decotes e as pernas das meninas com aquela expressão de velho safado.

Na dúvida, Pirilo pediu a seus assistentes que reexaminassem os lugares onde Laurence tinha estado, utilizando equipamentos para detectar câmeras e microfones escondidos.

No dia seguinte, quando se encontraram na Prefeitura, antes mesmo de olhar as novas pastas, Laurence contou o que havia descoberto nas notas do livro de Marai. Eram as notas sobre Morgen e confirmavam o grande amor e o carinho que Arpad sentia pela filha.

– Ele se sentia culpado de tê-la levado para a África. Demorou muito tempo para que ele entendesse que ela se sentia mais feliz ali que jamais se sentiria em Berlim, mas isso ele apenas compreendeu quando ela estava trabalhando em Kisangani. As notas também confirmam que ele fez todo o possível para levá-la para estudar em Berlim e que um amigo de nome Otto tinha ajudado para que ela entrasse na universidade.

Bebéi comentou, brincando, que o amigo Otto resolvia qualquer problema, de viagens a partidas de futebol e até admissão na universidade.

– Os problemas entre os dois se aprofundaram depois e têm a ver com o trabalho que ele fazia. Segundo o que Arpad mesmo escreveu:

> *Morgen nunca entendeu por que faço meu trabalho. E não a culpo, pois eu também jamais compreendi. A diferença é que já há muito tempo parei de fazer perguntas e Morgen continua perguntando.*

– Curiosa essa frase – comentou Pirilo. – Ele não parecia ter muito orgulho do que fazia.

Laurence comentou que era esta mesma impressão que teve depois de ler as notas e ainda traduziu uma como exemplo:

> *O que aconteceu em Burundi foi horrível e não tive como evitar. Não sabia o que estavam planejando e quando percebi já era tarde demais. Ela nunca me perdoou e nunca me perdoará. Ela sabia quem estava por trás daquilo, fomentando a rebelião e entregando a eles as armas. Morgen sabia que eu tinha as mãos sujas de sangue.*

Foi apenas depois de várias horas lendo e relendo as notas que eles, finalmente, começaram a compreender o que tinha ocorrido.

Aparentemente, o projeto de Arpad foi um intento dos americanos para aproximarem-se dos tutsis, mas não o faziam apenas para ajudá-los; seu interesse parecia ser o de convencê-los a continuar combatendo os grupos organizados contra o governo de Mobutu, como os Simba, no qual Che havia lutado, e que eram fortes na região onde habitavam os Banyamulenge.

O tema era ainda mais complexo, pois segundo as notas que leram naquela manhã, aparentemente, os soviéticos, do outro lado, estavam tentando organizar os hutus para combater os tutsis, e sua motivação era a mesma dos americanos. Como os americanos apoiavam os tutsis para atacar os hutus, os soviéticos estavam apoiando os hutus para enfrentar os tutsis. Tanto americanos como soviéticos estavam fazendo exatamente o oposto do que Morgen sempre tinha feito. Enquanto ela tentava acalmar as tensões existentes entre eles, americanos e soviéticos estavam jogando africanos contra africanos em um conflito que não tinha nada a ver com os africanos e, sim, com os interesses de dominação política dos dois países.

Laurence, então, contou-lhes sobre a preocupação de Morgen, antes de morrer, com o que estava passando em Ruanda.

– Pelo que contava minha mãe, havia muita tensão, especialmente, na região do rio Rusizi, que unia o lago Kiwu com lago Tanganica. Os tutsis viviam no Congo, mas também em Ruanda e em Burundi. Minha mãe sempre dizia que antes eles não lutavam entre si, mas que foram os "de fora" que os convenceram a lutar. Ela nunca explicou quem eram os "de fora" e isso tudo foi antes de eu nascer. Recordo que falavam do grande massacre de Burundi, mas nunca pude imaginar que meu avô estivesse envolvido com aquilo.

Mas ali estava a nota de Arpad:

> *Morgen sempre disse que não devíamos entregar armas aos tutsis, pois não era disso que eles necessitavam. E ela*

estava certa. Mas alguns pensavam que era importante armar os tutsis para controlar o movimento Simba e tudo terminou em uma grande tragédia.

Havia mais uma frase que ajudava a entender a tormenta que passava pela cabeça de Arpad:

Minha mãe me ensinou a encantar as pessoas com as notas agudas do violino e tudo o que fazem hoje minhas mãos sujas são relatórios de sangue.

Quando leu essas linhas, Laurence pediu para interromper a reunião. Ela estava abalada. Foram muitas as informações e emoções naquela manhã e ela precisava caminhar um pouco antes de reunir-se com os advogados. Mas antes de sair, ainda comentou:

– Minha mãe dizia a todos que depois do massacre de Burundi era importante acalmar os ânimos, pois se os hutus decidissem buscar vingança, eles iriam massacrar os tutsis. Ela sabia que o massacre de Burundi podia causar o genocídio que depois ocorreu em Ruanda e sabia também que meu avô trabalhava para os que haviam fomentado aquele conflito.

Capítulo XXV

Pirilo gostava de jogar pôquer; o húngaro, de fazer revoluções

Naquela mesma tarde, eles se reuniram com os advogados que abriram a reunião perguntando se Laurence tinha como provar que era neta de Arpad. Ela lhes apresentou a certidão de nascimento de sua mãe na Alemanha e o seu certificado de nascimento, da República Democrática do Congo.

O advogado que parecia ser o chefe e tinha chegado de Miami para aquela reunião tomou as cópias dos documentos em suas mãos e, com expressão arrogante, argumentou que eles teriam que obter as certificações necessárias mas que ele antecipava uma certa dificuldade para atestar a validade de documentos emitidos pela República Democrática do Congo e, especialmente, pelo registro público de uma cidade com o nome de Kisangani.

Laurence o escutou com a mesma atitude de humildade que sempre mantinha e, quando ele concluiu, comentou:

– Tenho também este documento que minha mãe obteve pensando que algum dia alguém poderia questionar a validade de minha certidão de nascimento – e mostrou uma certidão de nascimento emitida pelo governo da República Democrática Alemã. – Mesmo sem jamais ter estado na Alemanha, tenho também a cidadania alemã, por ser filha de Morgen Corvinus.

O advogado não conseguiu esconder seu desgosto e Tenente Pirilo aproveitou para tomar o documento de suas mãos:

– Como já fizemos cópias dos outros documentos é melhor fazer uma cópia deste também, para evitar qualquer risco de perda ou extravio.

Bebéi não entendia bem o que cada um estava querendo naquela reunião, mas percebia que ali todos suspeitavam de todos.

Depois de ver os documentos de Laurence, os advogados não pareciam ter mais perguntas. Comentaram mais duas ou três pequenas coisas e a reunião já parecia estar terminando. Antes de concluir, Pirilo ainda perguntou:

– Algum tema mais que gostariam de tratar?

Os advogados responderam que não.

Tenente Pirilo esperou que todos se levantassem da mesa de reuniões e, então, fez uma nova pergunta:

– Quando estive pela primeira vez em seu escritório, o advogado que me atendeu comentou que vocês também administravam uma outra propriedade do húngaro. Não lhes parece que seria interessante conversarmos também sobre essa propriedade?

O advogado de Miami, certamente, não era um bom jogador de pôquer, pois sua expressão denunciava o que sentia e ele estava claramente incomodado com a pergunta.

– Não me pareceu necessário mencionar, pois ainda não temos uma indicação clara de que o senhor Arpad Corvinus está morto. Até agora continuamos administrando seus bens imóveis, assim como seus ativos financeiros, da mesma forma que sempre fizemos.

– De acordo – disse Pirilo. – Mas como o senhor Arpad desapareceu há mais de dez anos, creio que seria interessante informar Laurence, que é sua herdeira, a respeito dos bens que ele tinha, não lhes parece?

Os advogados voltaram para suas cadeiras e um deles abriu uma pasta, de onde tirou uma folha que leu com expressão de quem não escondia sua contrariedade.

– Além do apartamento no casarão amarelo, administramos também uma conta de poupança com aproximadamente um milhão de dólares e uma propriedade em Santa Clara Frente ao Mar de dois mil e quatrocentos metros quadrados onde não existe no momento nenhuma construção.

E o advogado de Miami, rapidamente, acrescentou:

– ... que continuaremos administrando com o mesmo cuidado e dedicação de sempre até que se aclare a situação do senhor Corvinus e de sua eventual herdeira.

Outro silêncio. E Pirilo decidiu provocá-los uma vez mais:

– Imagino que os senhores estejam a par de que depois que o apartamento onde vivia o senhor Arpad foi roubado três pessoas vieram de Miami com o objetivo de invadi-lo outra vez. Será que os senhores sabem o que eles estavam buscando?

Enquanto falava, Tenente Pirilo observava com atenção a expressão dos três advogados. E foi curioso que, nesse momento, os dois advogados locais se mostraram surpreendidos e voltaram seus rostos para o advogado de Miami que, ainda assim, conseguiu manter a tranquilidade:

– Apenas conhecíamos o roubo dos artigos pessoais do senhor Arpad e nada sabíamos dessa segunda tentativa.

Mas Pirilo era um grande jogador de pôquer e estava se divertindo em provocar os advogados. E até tentou dar mais um passo:

– Será que estavam procurando a chave que lhes faltava?

E aí os três deram a clara impressão de que nenhum deles tinha a menor ideia a respeito de que chave ele estava falando.

Pouco mais se conversou ali e quando os dois saíram Tenente Pirilo fez um comentário com Laurence, que Bebéi rapidamente traduziu:

– Agora já sabemos que você não apenas é muito bonita, mas também é muito rica

E foi a vez de Bebéi fazer uma pergunta a Laurence:

– E quem era o amigo da Alemanha, que ajudou você com a certidão de nascimento?

– Nunca soube – respondeu Laurence. – Apenas sei que era alguém que conhecia minha mãe desde que ela era uma criança e ainda vivia em Berlim.

– Provavelmente, Otto – disse Bebéi a Pirilo.

Então os dois explicaram tudo o que estavam pensando do trabalho que Arpad fazia, da suspeita de que Otto era da Stasi e de que Arpad era um agente duplo trabalhando para a CIA e também para a Stasi e os soviéticos.

Laurence escutou em silêncio, sem aparentar surpresa. Depois disse:

– Acho que as notas que estavam dentro do livro de Orwell, e que li esta manhã, confirmam isso. Por elas, pude perceber que Otto sempre foi um grande amigo de meu avô, desde os tempos em que minha avó ainda estava viva. Meu avô continuou em contato com ele até que ele se foi do Congo, em 1976. – Depois, comentou algo que também intrigava Bebéi. – O curioso é que Arpad tinha guardadas com ele algumas cartas que enviou a Otto. Não entendo por que elas estavam com ele e não com Otto.

Laurence, então, traduziu uma das notas que estavam escondidas no livro de Orwell. A primeira era da Argélia, onde nela Arpad mencionava:

> *Preferiria distanciar-me de tudo, mas não sei o que mais posso fazer. Sei que você sempre me ajudaria em Berlim, mas não posso viver aí, pois tudo me recorda a tristeza da guerra e da morte de Eszter.*

– Existem outras notas que Arpad enviou de Kinshasa, mas essas apenas indicam que os dois eram amigos, pois Arpad descreve como ele e minha mãe viviam. Nessas cartas, tanto ele como Otto não fazem nenhuma referência a trabalho. Sei, porque minha mãe um dia me contou, que minha avó Eszter trabalhava para a Stasi. Esse foi o preço que ela teve de pagar para se aproximar do partido e conseguir ajuda para salvar meu avô dos campos de concentração soviéticos. Mas sei também que ela sempre se rebelou contra a orientação do partido. Otto sempre foi um grande amigo da família, mas não sei onde ele trabalhava. Existe apenas uma nota em que Arpad fala de algo relacionado a trabalho. Uma nota que ele escreveu a Otto, na qual explica um pouco seu remorso.

Laurence, então começou a traduzir:

> *Tudo que havia visto era como os americanos e soviéticos jogavam com a vida dos africanos. Entre todos que conheci, a única pessoa que realmente se interessou pela África foi Morgen e, por isso, nos abandonou a todos e rompeu a relação que tinha comigo. Ela fez o que todos nós que amamos a África deveríamos ter feito desde o princípio. Eu segui aproveitando o emprego que tinha e só o que causei foi morte e destruição.*

Depois de traduzir, ela comentou:

– Nas notas em que Arpad fez suas anotações pessoais existe uma interessante referência a Otto:

> *Janeiro de 1977 – a última vez que encontrei Otto. Ele sempre esteve ao meu lado, mas agora tenho de seguir sozinho e não posso tê-lo comigo. Agora, sim, vou fazer o que sempre deveria ter feito.*

Eles também conversaram sobre as notas de Tamara, que estavam no livro de Tolstoi e havia uma que Frida não havia traduzido. Era uma nota bem pessoal, na qual ela falava das dificuldades que tinha na Bolívia. Fora escrita em 1965, o mesmo ano em que Guevara foi ao Congo, segundo as anotações de Bebéi, e dizia "Já disse a nosso amigo que ele não deve se aproximar de você".

– Tamara sabia que Arpad era um agente duplo – comentou Pirilo – e que Che não podia aproximar-se dele, o que reforça o que pensávamos da nota de Che, em que ele disse que Arpad o ajudava "de longe".

Muita coisa já parecia estar esclarecida, mas Pirilo ainda tinha uma grande dúvida: que fez o húngaro depois de janeiro de 1977? Que significado teria aquela frase: "Vou fazer o que sempre deveria ter feito"? Por isso, comentou:

– Ele apenas chegou em Santa Clara em 1986 para ser professor de música da escola municipal, portanto faltam ainda dez anos de sua vida que não conhecemos e talvez sejam eles que explicam a chave que estava guardada no livro de Émile Zola.

Capítulo XXVI
O que parecia claro fica confuso quando a Senhora conta o que sabe

Pouco a pouco as perguntas iam sendo respondidas. Ainda não sabiam por que o húngaro desaparecera e muito menos para que servia aquela chave. Pirilo ainda tinha dúvidas de que tinha sido ela o motivo dos roubos ao apartamento, mas pelo menos já sabiam o que o húngaro fazia: ele era um importante agente da CIA que defendia os interesses dos americanos em vários países africanos e que atuava como um agente duplo, uma vez que enviava informações a Cuba e a Berlim. Pelo menos era isso o que pensavam, até o dia em que a Senhora da Embaixada telefonou a Bebéi dizendo que tinha novidades e propondo um encontro no ateliê de Lola Marlene, onde ela iria experimentar alguns novos modelos desenhados, especialmente, para ela.

Pirilo, quando soube, decidiu acompanhar Bebéi para confirmar o que já haviam descoberto. Mas o que os dois escutaram naquela manhã foi uma surpresa:

– Arpad Corvinus trabalhou para a CIA. Esteve na Argélia por dois anos e depois foi ao Congo, onde trabalhou por catorze anos para nós. No início, fazia trabalhos de inteligência, ou espionagem como prefere chamar nosso amigo Bebéi; depois passou a trabalhar com nossa agência de apoio ao desenvolvimento. Aparentemente, o serviço de inteligência não lhe interessava e por isso nunca chegou a impressionar seus superiores. Seu trabalho no Congo foi mais burocrático; fez algumas visitas a Burundi e Ruanda por conta do projeto de desenvolvimento, mas nunca trabalhou fora desses países

– Quer dizer que ele não era um espião importante? – perguntou Bebéi decepcionado. E ela respondeu que não.

Pirilo comentou que eles tinham boas razões para acreditar que ela estava enganada, pois as notas que encontraram demonstravam que ele estava envolvido com coisas importantes que se passavam em vários países e não apenas no Congo.

A Senhora não lhe deu grande atenção, pois, obviamente, confiava muito mais na informação recebida de seus agentes de Washington do que nas descobertas de Bebéi e Tenente Pirilo em Santa Clara Frente ao Mar; mas, por cortesia, comprometeu-se a passar pelo escritório de Pirilo ao final da tarde e dar uma olhada nos documentos que ali estavam guardados.

Bebéi saiu dali frustrado e, como tinha pedido licença da Embaixada, decidiu aproveitar o resto da tarde para passear com Laurence. Caminharam pela cidade, comeram os pastéis de Laís e tudo estava tão calmo que ele decidiu aproveitar para levá-la às escadarias das Mercedes, para conhecer os pelagatos.

Encontraram Frida, que não estava bêbada e ficou feliz em poder falar com alguém em alemão. Nullo quase não conseguia se levantar, de tão impressionado que estava com a beleza de Laurencc, mas quando, finalmente, a cumprimentou, recuperou sua energia de executivo de empresas e instruiu Bebéi com autoridade.

– Diga à sua amiga que a partir de agora ela vai viver em Santa Clara! – E acrescentou, com a firmeza de alguém acostumado a dar instruções: – Está decidido!

Bebéi percebeu que Laurence tinha uma beleza muito especial quando viu Henry Moriarty levantando-se do canto onde passava seus dias e noites para aproximar-se e cumprimentá-la. Ele nunca tinha feito isso antes. Coronel Vieira estava dormindo mas quando abriu os olhos seu rosto se iluminou e Laurence teve de escutar, dos três pelagatos, todas aquelas bobagens que homens mais velhos costumam dizer para impressionar uma mulher mais jovem – o que não foi propriamente um problema, pois ela não entendeu nada e Bebéi foi suficientemente prudente para não traduzir.

Com Frida foi diferente. A Trotska estava animada. As duas permaneceram conversando em alemão por um bom tempo, enquanto Bebéi pacientemente aguardava com seu cachorro. Ele apenas escutou o final da conversa quando Frida, antes de se despedir, comentou:

– Para mim tanto o húngaro como Otto são da Stasi e é importante dizer que foi graças aos da Stasi que consegui sobreviver na prisão e sair da Alemanha. Nunca os procurei; foram eles que me procuraram e tentaram me ajudar.

Como ainda tinham muito tempo, Bebéi levou Laurence até a barbearia de Rasta, pois queria deixar as pastas com as notas em russo para que Ludmilla as traduzisse. Por sorte, ela estava lá, com seu barrigão de quase nove meses. Grená também se aproximou; a ela, pouco lhe interessavam as histórias antigas do húngaro, mas Laurence era a grande novidade e ela também queria conhecê-la.

Como a manicure estava desocupada, Laurence aproveitou para fazer as unhas enquanto Ludmilla lia as notas escondidas no livro de Rilke. De repente, Ludmilla pôs-se a chorar. Todos na barbearia estranharam. E foi entre soluços que ela traduziu uma carta que Arpad enviou a Eszter e que, aparentemente, tinha sido ditada por ele para um dos guardas do campo de concentração, que a escreveu em russo. Dizia:

Daria todo o resto de meu corpo se pudesse preservar minhas mãos, pois era com elas que tocava o violino para minha mãe, mas o frio aqui é devastador e quando cheguei não tinha como protegê-las. Apenas me entregaram um par de luvas e a da mão esquerda estava rasgada; tinha apenas dois dedos. Tentei colocar todos os dedos dentro da luva, mas foi impossível e, como tinha de continuar trabalhando, tive de colocar o polegar separado, para poder segurar a pá. Coloquei o polegar em um dos dedos e outros dois dedos, o indicador e o maior, no outro, e com isso os dois últimos ficaram expostos à neve e congelaram. À noite, ao regressar à cabana onde dormíamos, eles eram apenas duas coisas negras que pareciam grudadas ao meu corpo. Perdi meus dedos e exatamente os dois com que tocava as notas mais agudas do violino. Eram estas as notas que encantavam minha mãe e a faziam dançar pelas ruas de Budapeste. Tudo que aprendi na vida foi tocar o violino e isso ficou para sempre congelado nas neves de Kolima.

No livro de Rilke também havia uma foto de Arpad com Eszter em Moscou, em frente ao Kremlin, que Ludmilla mostrou a todos e que, provavelmente, tinha sido tirada quando Eszter foi buscá-lo, pois ele parecia bastante frágil e doente.

Os que estavam na barbearia suando, pois era um dia de muito calor em Santa Clara, começaram a opinar passionalmente sobre como deve fazer alguém para sobreviver na neve, que eles apenas conheciam por fotos e, enquanto escutava, Ludmilla deu uma rápida olhada nas notas do livro de Neruda e sua expressão se modificou.

Ludmilla continuou lendo um pouco mais e, depois, explicou a Bebéi que não conseguia entender bem o que estava escrito e que preferia ler com mais calma. Grená, que ainda estava ali, percebeu que era mentira, mas nada comentou. Ludmilla se foi com as notas e, ao chegar em casa, telefonou imediatamente para Pirilo, que prometeu passar por lá à noite, pois antes teria de receber a Senhora em seu escritório.

Pirilo não tinha dúvida de que Arpad era um agente duplo, mas sabia também que a Senhora era muito bem informada e, por isso, estava curioso para ver sua reação ao ler as notas que tinha. Mas decidiu ser cauteloso. A única coisa que lhe interessava era entender o que buscavam os que roubaram o apartamento e não queria se envolver desnecessariamente em todos aqueles assuntos de espiões e contraespiões que tanto fascinava Bebéi.

Bebéi e Laurence estavam também em sua sala quando a Senhora chegou. Lola Marlene estava com ela. Todos estavam curiosos para escutar o que a Senhora iria dizer. Ainda que Laurence fosse ali a mais bonita, Lola e a Senhora estavam, as duas, imbatíveis em termos de elegância.

Primeiro Pirilo mostrou as notas do Congo e de Francisco e a Senhora as leu com atenção. Seu único comentário foi que tanto o húngaro como aquele Francisco não pareciam estar contentes com o trabalho que estavam fazendo. Explicou também a Laurence que aquele foi um período de grande turbulência política em que muitos equívocos lamentáveis foram cometidos na África.

Depois o tenente lhe passou as notas que estavam em inglês, guardadas no livro de Ibsen, e que pareciam fazer referência à Indonésia. E foi aí que sua expressão passou a demonstrar certa preocupação. Antes de traduzir, ela insistiu em dizer que não acreditava em nada do que estava escrito, mas explicou que as notas eram de alguém que Arpad conhecia e que havia tido acesso a algumas listas com nomes de membros do partido comunista da Indonésia, preparadas pela CIA e entregues ao General Suharto para que ele os executasse. Claramente, a nota indicava que Arpad estava compartilhando as listas com os soviéticos, para que eles pudessem tentar salvar algumas daquelas pessoas, cujos nomes estavam nas listas.

Ela insistiu em dizer que isso não parecia ser verdade, e foi interrompida por Lola Marlene:

– Meu amor, te amo até a morte, mas nem tente dizer que os americanos foram santos na Indonésia. Os livros nos contam que pelo menos uns quinhentos mil comunistas foram assassinados ali quando o general Suharto decidiu acabar com eles. O que passou já passou, isso eu aceito, mas que aconteceu, aconteceu e isso você não pode negar.

A Senhora não contestou e continuou lendo até que chegar à parte em que estava escrito que havia cópias daquelas listas, que estavam "bem guardadas" e que seriam distribuídas aos jornais.

– Será que o húngaro tinha mais documentos escondidos em casa? – perguntou ela a Pirilo, que apenas respondeu que achava que não, pois os ladrões já haviam levado tudo, e a equipe da segurança da Prefeitura também havia revistado o apartamento.

– Revistaram mas não encontraram o que estava dentro dos livros – recordou Bebéi, o que levou a Senhora a pensar que talvez fosse interessante fazer uma nova e mais detalhada vistoria no apartamento de Arpad.

Ela continuou lendo as notas do livro de Kafka e comentou que elas mencionavam alguém que se chamava K, que era um contato de Arpad e vivia em Khartum. Parecia ser alguém como Francisco, que trabalhava para a CIA e que, como ele, não tinha grande simpatia pelo que os americanos estavam fazendo.

– Estas notas parecem indicar que havia nos anos setenta uma rede de agentes que trabalhavam com a CIA, mas que filtravam informações para os soviéticos, e que Arpad, de alguma forma, estava envolvido com eles. Tudo isso se passou mais de trinta anos atrás, mas talvez existam pessoas que, por razões que desconhecemos, estão interessadas nessas anotações.

Enquanto falava, ela abriu o envelope com as notas que estavam dentro do livro de Virgílio, que pareciam fazer referência a uma tal de Valerie. Foi quando sua expressão mudou completamente:

– Que outras notas vocês têm? – foi sua pergunta, um pouco assustada.

– Por que você quer saber? – perguntou Pirilo – O que foi que você viu de tão interessante nelas?

– Tenho de ser honesta. Não posso falar nada agora. Deixem-me levar estas notas para mostrar a um amigo e depois prometo que lhes conto. Existe algo aqui que talvez seja muito importante.

Pirilo e Bebéi confiavam nela. Não era a primeira vez que trabalhavam juntos e a Senhora sempre tinha honrado seus compromissos. Mas, por prudência, deixaram que ela levasse apenas as notas que faziam referência a Valerie e não lhe mostraram nenhuma nota mais.

Quando ela saiu, Bebéi fez um comentário.

– A expressão da Senhora foi muito parecida com a expressão de Ludmilla, esta tarde, ao ler as notas de Natasha.

Capítulo XXVII
As histórias russas assustam Ludmilla quando chega o amigo de Laurence

— Pirilo, você tem de tirar essas notas das mãos de Bebéi, elas são um perigo! Essa Natasha estava chantageando a KGB – foi a primeira coisa que disse Ludmilla quando Pirilo ainda ia entrando na casa. Foi necessário um bom tempo e duas doses de rum para que ele, então, pudesse entender do que exatamente ela estava falando.

– No envelope que Bebéi me entregou, existem claras insinuações de que essa Natasha tinha informações secretas que seriam entregues aos principais jornais internacionais e às Nações Unidas, se os russos não pagassem o que ela estava pedindo. Ali também estão algumas informações que indicam uma série de pagamentos que ela recebeu de um tal Yuri e uma lista de organizações a quem os recursos recebidos eram enviados.

Ludmilla continuava falando de forma descontrolada:

– No outro envelope, o do livro de Yates, estão as notas desse Yuri, que mencionam uma série de sequestros, assassinatos e desaparecimentos de líderes africanos, indicando que eles foram todos coordenados por Moscou. E não apenas no Congo; são citados casos em Angola e em Moçambique, onde foram assassinados os opositores de Agostinho Neto e de Samora Machel. Há notas comentando o apoio que os soviéticos davam aos hutus para matar os tutsis; outras sobre um golpe de estado que eles apoiaram em Brazzaville, para levar um tal de Major Ngouabi ao poder, e citam que mataram não sei quantas pessoas no caminho. Falam também de Siad Barre, na Somália; de um outro que se chamava Amílcar Cabral, na Guiné-Bissau; e de todo o trabalho que os soviéticos fizeram para executar seus opositores. Mencionam também outras coisas que somente com a ajuda de Princesa poderemos entender e até descrevem uma tentativa de matar Sellasie para colocar um tal de Megistu Hallie como presidente na Etiópia. Quando mencionei isso a Rasta Bong, ele passou mal e tivemos de dar uma dose dupla de chá de sono para acalmá-lo. Está agora no quarto, fazendo suas orações, e disse que você tem que abrir imediatamente uma investigação para descobrir quem queria matar o Leão de Judá.

Pirilo tomou mais duas doses de rum e, antes que Rasta decidisse sair do quarto, preferiu voltar à Prefeitura. Ninguém, nem toda a maconha e todos os chás do mundo, poderiam acalmar seu irmão depois de saber que alguém tinha tentado matar Negus Selassie, imperador da Etiópia, Ras Tafari Makonen, descendente direto do Rei Salomão. E de nada valeria tentar explicar que aquilo tudo tinha acontecido mais de quarenta anos atrás.

Pirilo estava confuso. Tudo que ele queria era desaparecer e estar junto de Clara. Ela era teimosa, rígida em seus princípios, mas pelo menos sabia pensar. Talvez com ela, e longe de tudo, ele conseguisse entender o que vinha acontecendo desde que Bebéi começara a investigar as notas dos livros de Arpad.

A tal de Natasha chantageava os russos e a Senhora tinha ficado muito preocupada ao ler o que estava dentro do livro de Valerie. Será que essa Valerie chantageava os americanos? E qual seria a relação dos advogados de Miami com aquilo tudo?

Ele estava inquieto:

– Que merda tenho eu a ver com tudo isso? Ninguém aqui em Santa Clara sabia quem era esse húngaro; ninguém tinha nada a ver com o que lhe roubaram nem com o que estava escondido nos malditos livros que Bebéi descobriu. A ninguém aqui importa saber para que serve aquela maldita chave. E me explique: por que deixei de jogar dominó esta tarde para esperar a Senhora da Embaixada e escutar o que ela tinha a dizer?

As coisas estavam se complicando e, como se tudo aquilo ainda fosse pouco, agora ele teria de aguentar seu irmão rastafári, que não descansaria até descobrir quem estava tentando matar Sallasie.

Ele insistiu com Clara que não poderia mais continuar acompanhando as invenções de Bebéi e que, a partir daquele momento, iria cuidar exclusivamente dos assuntos relevantes para a Prefeitura. Ela o deixou desabafar.

Mais tarde, com ele mais calmo, os dois repassaram o que sabiam. Por algum motivo o húngaro havia escondido aqueles papéis. Talvez apenas por curiosidade ou talvez porque tinha algum interesse na chantagem que a tal Natasha estava fazendo. De qualquer modo, insistia Clara, tudo tinha se passado tanto tempo atrás que não havia por que se preocupar. Pirilo até que já estava mais tranquilo quando o telefone tocou. Era Ilona.

– Theo Cavafys, o meu amigo grego, acaba de telefonar dizendo que vem a Santa Clara. Disse que o grande chefe russo lhe telefonou pedindo um favor especial: que ele venha a Santa Clara para acompanhar alguns amigos... e, se não você não está sentado é melhor que se sente, pois ele disse que os russos vêm para conversar com Bebéi... – Ilona continuava falando, enquanto Pirilo olhava para Clara com uma expressão de quem estava perdido. – Cavafys não tem a menor ideia do que querem, mas, pelo que disse o russo, parece que é alguma coisa muito importante, e ele me pediu que lhe avisasse, pois não quer que Bebéi se encontre com os russos sem que você esteja junto.

Pirilo não queria mais se envolver com aquelas loucuras, mas não tinha como escapar. Ele sabia que, ainda sem entender o que estava acontecendo, teria de ajudar Bebéi a enfrentar os russos, que, provavelmente, já haviam descoberto a história da Natasha.

Para entender a importância daquele telefonema é preciso recordar que o russo que ligou para o capitão grego Cavafys havia trabalhado na KGB. Quando a União Soviética se desintegrou, o russo passou para o tráfico de drogas e, com o tempo, ganhou tanto dinheiro que se deu o luxo de abrir vários negócios legais e acabou por se tornar um milionário com importantes investimentos em grandes navios e estaleiros, incluindo um que estava sendo construído em Santa Clara.

O grande chefe russo, como os antigos companheiros o chamavam, ainda que milionário continuava amigo do capitão grego Cavafys desde os tempos em que este ajudava a transportar armas contrabandeadas para apoiar as revoluções na Guatemala e na Nicarágua. O russo já tinha visitado Santa Clara algumas vezes e quase todos ali o queriam bem, com exceção de Ludmilla, que, segundo diziam, era sua filha e se recusava a falar com ele.

No dia seguinte, Pirilo ligou para Theo Cavafys, que lhe contou que a razão da visita dos russos era a carta que Bebéi tinha escrito à Natasha, o que aparentemente era um assunto muito delicado. Os russos queriam saber o que Bebéi sabia sobre aquela mulher. Para sorte de Pirilo, o capitão grego estava saindo naquele mesmo dia com seu barco, o Ithaca, para Trinidad e apenas se encontraria com os russos na semana seguinte, o que pelo menos dava algum tempo para que o tenente se preparasse.

Por sorte, nem tudo eram preocupações na cidade. Naquela manhã, enquanto Pirilo conversava com Cavafys, Laurence estava, contente, a caminho do aeroporto, pois iria receber um amigo de sua mãe, senhor Baumgarten, que, ao saber que ela estava em Santa Clara, aproveitou para ir encontrá-la ali. Bebéi foi junto com ela e foram na perua do Café da Ilona, pois o senhor Baumgarten vinha com sua cadeira de rodas motorizada. Ele podia caminhar, mas com dificuldade, e por isso preferia a cadeira de rodas.

– Não se preocupem comigo – disse ele, ainda no aeroporto. – Vivo com minha mulher em uma pequena cidade de Portugal muito semelhante a Santa Clara e é por isso que sempre uso esta cadeira, que é leve e pouco incomoda. A única coisa que não posso fazer é ficar fechado dentro de casa, pois fico tão ranzinza que ninguém me aguenta.

O velhinho era simpático. Explicou que era de uma família austríaca e que havia vivido toda sua vida na Alemanha. Estava casado com uma mulher portuguesa e, desde que se tinha aposentado, mudou-se para uma pequena cidade de Portugal próxima a Coimbra. Comentou que tinha conhecido Morgen e viajado algumas vezes ao Congo para ajudar a Fundação Banyamulengue.

Quando ele chegou ao Café, rapidamente encantou Ilona. Ele era falador e grande contador de histórias, bem como ela gostava. Apenas fazia questão de um bom vinho e nisso era exigente; mas com uma garrafa aberta, podia falar e contar casos por horas.

Já nos primeiros dias o senhor Baumgarten conquistou muitos amigos na cidade. Os únicos que ficaram com ciúme foram os grandes jogadores de dominó de Santa Clara, pois ele chegou na véspera do grande torneio anual que a Embaixada da Espanha patrocinava na cidade. O torneio começava na sexta, tomava todo o final de semana e, tradicionalmente, terminava com as partidas finais no fim da tarde de domingo, jogadas entre a dupla de Moses e Habib, os vendedores de roupas da Avenida Central, contra Pirilo e o asturiano da taverna. E nos três anos anteriores, desde que o torneio tinha sido criado, uma vez Pirilo e o asturiano chegaram a ganhar e nas outras duas vezes foi a dupla judia-libanesa a vencedora.

Quando Baumgarten chegou, todos já estavam inscritos e ele não tinha com quem formar uma dupla. Quem acabou por salvá-lo foi a pequena Irigandi, que comentou que uma das meninas ciganas era uma grande jogadora de dominó.

O velhinho gostou da ideia e os dois foram os últimos a se inscrever. Nos primeiros jogos ninguém lhes deu atenção. Uma jovem cigana de dezesseis anos e um velhinho alemão em cadeira de rodas não pareciam intimidar seus adversários, mas eles foram ganhando os jogos da sexta e do sábado e, no domingo, foram a grande atração, vencendo todos os adversários, inclusive a dupla de Pirilo, para chegar na grande final contra o judeu e o libanês. A cada partida que ganhavam, a torcida ia aumentando e, quando chegaram à final, toda a cidade parecia torcer por eles. A última disputa foi no centro da praça lotada, que virou uma festa quando os dois venceram.

Pirilo explicava que aquilo não tinha sido apenas sorte. Ambos os participantes tinham uma capacidade incrível de memorizar tudo o que se jogava, com tal facilidade que cada um sabia exatamente as peças que o outro tinha, e se comunicavam com os olhos de uma forma que ninguém conseguia perceber. Eram, segundo ele, imbatíveis.

A vitória no torneio fez do velho Baumgarten uma figura popular, o que foi uma grande tranquilidade para Laurence, que não necessitava mais se preocupar com ele; podia deixá-lo na Praça da Catedral, onde passava o dia entre o dominó, o xadrez e as longas conversas com Dioclécio Bergantin, enquanto os dois alimentavam os gatos.

À noite, ele quase sempre jantava no Café da Ilona, não apenas para contar histórias mas também para escutá-las. Ele tinha aquela mesma qualidade de Ilona de deixar as pessoas tranquilas e falantes, o que lhe permitia tirar boas histórias até dos mais tímidos. Surpreendeu a todos quando conheceu Frida e, como por um toque de magia, conseguiu que ela lhe contasse histórias de sua juventude de esquerdista radical na Alemanha.

Ele preferia jantar no terraço do Café, olhando o mar, mas alguns dias depois teve a honra de ser convidado para aquela mesa especial na cozinha, onde dona Cécy jantava com Dioclécio Bergantin. A única coisa que não fazia bem era dormir. Dizia que isso não lhe fazia falta e, como Dioclécio também dormia pouco, muitas vezes os dois permaneciam até alta madrugada escutando a sanfona do cigano. Foi por isso que decidiu ficar no hotel da praça, pois ali podia entrar e sair a qualquer hora com sua cadeira motorizada sem incomodar ninguém.

A chegada de Baumgarten e o torneio de dominó serviram para acalmar um pouco Pirilo durante a semana. Seu problema já não eram apenas os russos que estavam por chegar. Era também a pressão da Senhora da Embaixada americana. Ela lhe telefonava quase todos os dias dizendo que estava interessada em conhecer tudo o que Bebéi havia encontrado nos livros do húngaro e tinha dito isso de uma forma que não deixava dúvida de que, de um jeito ou de outro, iria obter o que queria.

Pirilo conseguiu ganhar algum tempo com algumas desculpas, mas a insistência da Senhora era firme:

– Os documentos trazem informações importantes que não interessam nem a você nem a Bebéi, mas que podem criar muitos transtornos se caírem em mãos erradas.

Apesar de tudo, Pirilo não queria entregar o que ela pedia. Ele a respeitava muito e também respeitava o russo, que sempre tinha sido leal a ele e a todos na cidade. Sua decisão não tinha nada a ver com eventuais preferências entre russos e americanos, comunistas ou não. O fato era que cada vez ele tinha mais simpatia por Laurence. Pirilo não sabia exatamente o que estava escondido entre as notas de Arpad mas, fosse o que fosse, os documentos pertenciam a sua herdeira e, até que todos entendessem o que estava escondido ali, nem russos nem americanos iriam tocá-los.

A discussão entre os dois durou toda a semana até que, na quinta-feira, quando os russos já estavam para chegar, Pirilo, finalmente, tomou uma decisão: chamou Laurence em seu escritório e contou que tinha retirado os documentos da Prefeitura para escondê-los em um lugar mais seguro, e informou à Senhora da Embaixada americana que não podia entregar os documentos, mesmo sabendo que aquilo iria provocar uma reação imediata. E não teve de esperar: ao final da tarde chegou uma delegação de americanos liderada pelo embaixador e acompanhados pelo prefeito foram até a sala de Pirilo pedir os documentos.

Pirilo abriu o cofre, mostrou que estava completamente vazio e disse que os documentos já não estavam mais com ele. Explicou que os havia devolvido a Laurence e que ela tinha decidido queimá-los.

Obviamente, a história de que os documentos tinham sido queimados não enganou a Senhora e ele sabia que ela continuaria tentando, mas pelo menos assim ele ganharia algum tempo para enfrentar os russos que também estavam chegando por ali.

Capítulo XXVIII

Sexta-feira, dia de conhecer os planos do prefeito e de comer a pizza do padre

Os russos chegariam no início da semana, mas a sexta foi um dia bem intenso para Pirilo, para o prefeito e para toda a cidade. Desde as primeiras horas da manhã começou a circular o segundo número de *O Realejo de Santa Clara*, com uma descrição detalhada dos planos da nova cidade - o que caiu como uma bomba. Tudo fora feito em grande sigilo por Jordi e sua equipe e, como eram poucas as pessoas que conheciam os novos planos, o prefeito imediatamente chamou Pirilo e ordenou uma rigorosa investigação interna para descobrir quem tinha vazado as informações.

Como os grandes suspeitos de vazamento eram sempre os motoristas, Pirilo decidiu começar por eles e, junto aos seus assistentes, entrevistou um a um todos os motoristas que transportavam o prefeito, seus assessores e convidados. Depois, foi a vez das secretárias e assistentes de todos os assessores que tinham acesso aos planos e, por último, as senhoras que serviam o café.

Como não descobriram nada, Pirilo decidiu estender a investigação à empresa de arquitetura. Entrevistaram, um por um, todos os arquitetos que tinham participado do desenvolvimento dos planos e que eram todos estrangeiros, pois, desde o início, o irmão do prefeito, que cada vez mais se especializava em temas de segurança e vigilância, tinha se assegurado de que nem ali, nem na firma de advogados contratada, trabalhasse algum profissional que pudesse vazar as informações.

Pirilo e seus assistentes não investigaram, porém, a equipe de limpeza da empresa de arquitetura. Ali estava Nádia. Ela e seu irmão tinham estudado na mesma escola de Jordi. Nádia sonhava ser arquiteta e, para financiar seus estudos, trabalhava à noite em uma das equipes que fazia a limpeza dos escritórios de arquitetura. E foi ela quem encontrou os planos, tomou notas, fez algumas cópias e as entregou a Jordi.

No jornal também apareciam alguns desenhos que tinham sido feitos pela própria Nádia e que davam uma boa ideia de como seria Santa Clara Frente ao Mar depois da construção da nova cidade. Com isso, todos, finalmente, entenderam que o projeto do prefeito representava o fim da cidade que eles conheciam.

Um dos desenhos mostrava como as ruínas do forte ao final do calçadão iriam se juntar com o novo shopping center e com os edifícios comerciais situados exatamente onde o rio desembocava no mar. Outro mostrava como as torres de apartamentos ocupariam toda a área onde estavam as casas mais pobres e onde Nádia vivia com o irmão e a avó já bem velhinha, de quem cuidavam.

O prefeito estava furioso e continuou furioso, pois Pirilo não conseguiu descobrir como a informação vazara, mas Jordi estava orgulhoso. Ele sabia que todos iam querer o jornal e aproveitou o dinheiro que o próprio prefeito lhe tinha dado para contratar mais três ajudantes que, junto com ele, fizeram três mil cópias daquela edição, que, desde as primeiras horas do dia, se espalhara pela cidade.

Arcádio ficou na Praça da Catedral com o *realejo* e o filho da Passarinho passou o dia circulando com seu triciclo pelo calçadão. Mas naquele final de semana ele não vendeu sorvetes; ao lado do macaquinho, que girava a manivela, ia sua mãe, a Passarinho, distribuindo os jornais, vestida com uma roupa que mais parecia a da Bela Adormecida dos contos de fada.

Santa Clara tinha despertado naquela, sexta-feira, ao som de *realejos*. Além dos dois já existentes, Rasta Bong tinha encomendado outro, que a própria Nádia tocava e que ficou na ponte que separava a cidade antiga da área mais pobre, onde ela também distribuía exemplares do periódico. Com isso e com os exemplares que distribuídos na barbearia de Rasta e no restaurante de Ilona, as três mil cópias se esgotaram antes mesmo que a noite chegasse.

Quem estava feliz era Cholo, o engraxate, pois, assim como Jordi, tinha colocado um texto com a fotografia de Laís no primeiro número de O *Realejo* – naquele segundo número, o cidadão homenageado fora ele. E foi, então, que todos em Santa Clara se deram conta de que o maior comentador de notícias da cidade não sabia ler.

Por trinta e seis anos Cholo, lustrou sapatos ali na Praça Bolívar, na entrada do calçadão. Nunca teve tempo de ir à escola. Sabia fazer contas de somar e diminuir mais rápido do que muitos, mas isso era tudo o que sabia. Nunca tinha aprendido a multiplicar, dividir, ler ou escrever.

Todas as manhãs, desde cedo, ele já tinha os jornais do dia à disposição dos clientes que se sentavam na cadeira para lustrar os sapatos. E, de tanto escutar, aprendeu a comentar o que escutava. Com o tempo, sua cadeira na praça passou a ser o ponto central da venda de jornais e das discussões que as notícias despertavam. Assim como o guarda-sol de Grená era o centro de distribuição de boatos e fofocas, a cadeira do engraxate era o centro das discussões de notícias, sempre lideradas por Cholo, que era respeitado como autoridade em eventos ocorridos em Santa Clara e no mundo. E tudo isso sem jamais ter lido uma única manchete.

A movimentação na cidade adentrou a noite, pois naquela sexta-feira também era a festa de inauguração da Pizzaria do Frade. Ali estavam todas as personalidades locais, os turistas e até alguns visitantes ilustres, como o senhor Baumgarten, que circulava sorridente com sua cadeira motorizada. E, como não podia deixar de ser, o principal assunto eram os planos do prefeito para a nova cidade.

O prefeito tinha se comprometido publicamente, em participar da inauguração da pizzaria e não teve como escapar. Não só foi, como passou a noite inteira tentando justificar seus planos a todos que o cumprimentavam.

– A cidade antiga está tão boa, senhor prefeito... Por que mudar? – era a pergunta de todos.

As reclamações eram as mais variadas. Grená dizia que, com as torres de sessenta andares, o vento que refrescava a cidade não chegaria mais à praça. Miguel, o taxista, reclamava que, com todos os novos apartamentos e escritórios, não haveria mais espaço para estacionar seu táxi. Carmela acrescentava que com as ruas cheias de automóveis as crianças não poderiam mais jogar bola.

As maiores reclamações vinham dos que viviam na área destinada às novas construções, pois perceberam que teriam que sair de onde viviam para dar lugar aos novos edifícios. E os mais furiosos eram exatamente os jovens, como Nádia.

– Os que são proprietários de suas casas ainda vão receber algum dinheiro, mas os que vivem em casas alugadas nem isso. E todos terão de sair – explicava Jordi.

Mesmo os que viviam dentro da cidade antiga já estavam percebendo que também teriam de sair, pois a cidade seria um mar de lojas e restaurantes para atender aos turistas e aos que comprariam os imóveis das novas torres.

Mas ali nem todos queriam falar sobre a nova cidade. A Senhora da Embaixada americana escutava Pirilo repetir que os papéis que ela queria já haviam sido destruídos, mas insistia:

– Está bem. Não precisamos mais conversar sobre isso. Se vocês não querem entregar os papéis, não posso fazer nada. Mas pode ser que ainda existam documentos dentro daquele apartamento. Posso mandar minha equipe para fazer uma busca detalhada e ver se ainda existe alguma coisa escondida ali...

A ideia não parecia má, mas como Pirilo tinha de se concentrar nos russos, ele preferiu esperar.

Ilona e Irigandi não estavam preocupadas com as torres e nem com os papéis do húngaro; elas estavam felizes naquela noite. Paul já estava a caminho de casa. Depois de Jerusalém, ele tinha ido até o Irã, com uma delegação de chineses, para visitar algumas cidades à beira do mar Cáspio, onde esperavam encontrar sinais de visitas espaciais. Porém, já estava em Londres e, em mais alguns dias, estaria de volta a Santa Clara.

Gigi e Frei Bernardo, contentes com a casa cheia, se esforçavam para agradecer a cada um dos que ali estavam. A pizza, segundo os comentários, que incluíam uma avaliação crítica de dona Cécy e de Laís, era divina.

O prefeito tentou manter a dignidade o mais que pode, mas, com todo aquele questionamento sobre seus planos, já estava prestes a perdê-la quando a sérvia, ao seu lado, insistiu para que saíssem. Ele não estava preparado para conversar sobre o projeto com os moradores e ela já o tinha alertado.

Naquela mesma noite, ele fez uma reunião de emergência com alguns assessores. Todos estavam preocupados e seu amigo romeno insistia que deviam começar rapidamente uma campanha promocional:

– Os árabes vão ter de soltar o dinheiro para financiar a campanha! – E ainda foi mais longe: – Se não começarmos já, a oposição ao projeto da nova cidade vai crescer e, aí, não controlaremos mais a situação.

Contra-atacar com uma campanha publicitária parecia ser a melhor alternativa e o prefeito aproveitou para verificar novamente os avanços do projeto. Ao final, perguntou outra vez ao egípcio El Waun se todas as propriedades estavam regularizadas. Foi quando o egípcio veio com a má notícia:

– Tem apenas uma propriedade que não foi comprada ainda. E, pelo que me informaram os advogados, pode ser que tenhamos problemas.

O prefeito engasgou com o uísque e quase tropeçou no tapete. Até a dor de cabeça que ele tinha começado a sentir na pizzaria desapareceu.

– Você tinha dito que tudo estava sob controle. Que história é essa de que agora vamos ter problemas?

– Existe uma propriedade à beira-mar, depois do final do calçadão, que vai desde as ruínas do velho forte até o galpão dos rastafáris. Ela está em nome de um estrangeiro que vivia em Santa Clara e que desapareceu muitos anos atrás. Já tínhamos negociado com os advogados que administram seus bens uma troca dessa propriedade por outra de igual tamanho em outra parte da cidade. Segundo me confirmaram os advogados, isso seria possível, pois continuariam registrando uma propriedade de dois mil e quatrocentos metros quadrados entre os bens do estrangeiro. Como expliquei antes, tudo estava acertado e já havíamos até adiantado o dinheiro aos advogados. Mas, pelo que me contaram, agora apareceu uma neta do dono e vamos ter de negociar com ela.

– Que merda! – explodiu o prefeito. – Isso pode atrasar, e muito, o projeto.

– E se ela decidir que não quer vender? – perguntou o irmão do prefeito.

– O problema não é insolúvel – o prefeito respondeu. – Podemos desapropriar a área por interesse social, mas o processo vai nos tomar tempo e pode nos expor a alguns problemas políticos. Diga aos árabes – comentou, olhando com expressão grave para o egípcio – que é melhor pagarem o que a moça pedir. Negociar desapropriações de casas de pobre não é um problema, mas negociar uma propriedade de frente para o mar com gente rica e estrangeira pode nos trazer sérios problemas.

Quando a reunião terminou e todos saíram, o prefeito ficou a sós com o irmão e disparou sua raiva:

– Chame o árabe, que é seu amigo, e diga que esse egípcio que ele nos mandou é um inútil. Só serve para trazer as putas, mas no trabalho é um incompetente. Como é possível isso? Ele vinha assegurando que tudo estava bem quando ainda falta adquirir uma propriedade bem no meio do projeto? Se ele não resolver imediatamente esse problema, eu o quero fora do negócio!

Capítulo XXIX
Chegam os russos querendo saber quem é o amigo de Natasha

Segunda-feira, ainda pela manhã, chegou Theo Cavafys com os russos. E dessa vez o capitão grego não chegou como sempre costumava chegar, em um dos velhos táxis que o levavam do porto até o Café da Ilona. Naquela segunda-feira ele chegou em um luxuoso helicóptero, que pousou no novo heliporto construído ao lado do cais, assustando a todos os que estavam no calçadão. Era o mesmo helicóptero com que o Grande Chefe Russo tinha chegado para a inauguração do restaurante nos tempos do mágico. Nele vinham Cavafys, com seu boné e seu velho casacão negro, e os dois russos que queriam conversar com Bebéi.

Dali foram direto para o Café da Ilona, onde Bebéi e Tenente Pirilo foram encontrá-los.

Ainda que soubessem que o assunto da conversa eram os segredos de Natasha, Pirilo preferiu não levar Laurence ao encontro.

– Melhor esperar para ter certeza de que sabemos o que eles querem – tinha dito. E o velho Baumgarten, que desde que chegara atuava como uma espécie de conselheiro de Laurence, também estava de acordo.

Entraram no Café e sentaram-se à mesa preferida de Cavafys, à esquerda do terraço, e o capitão ainda teve tempo de alertar Pirilo:

– Deve ser alguma coisa importante, pois o grande chefe me disse que, se é verdade que Bebéi sabe algo sobre Natasha e Yuri, ele mesmo virá a Santa Clara.

Os dois russos eram alegres e, mal se sentaram, já começaram a elogiar a beleza de Ilona e a fazer piadas que davam a impressão de que tudo o que queriam era divertir-se e aproveitar aquela manhã de sol e brisa na baía.

Abriram a primeira garrafa de vodca, ainda às dez e meia da manhã, e, sem rodeios, entraram no assunto, comentando que Bebéi havia escrito a sua amiga Natasha e que estavam curiosos para saber o que ele sabia sobre ela, pois fazia muito tempo que não a viam.

Antes que Bebéi começasse a responder, foi Pirilo quem se adiantou e contou toda a história. Disse que eles haviam descoberto que o apartamento do húngaro não estava vazio e que, quando começaram a examinar o que estava ali, o apartamento foi invadido por profissionais, que roubaram quase todos os objetos e papéis de Arpad. Contou também que, entre os poucos papéis, que não foram roubados estava o endereço de Natasha, em Praga, e que era essa a razão de Bebéi lhe ter enviado aquela carta. Comentou também que houve, depois, uma segunda tentativa de roubo e essa, suspeitavam eles, tinha sido ideia de um escritório de advogados de Miami. E concluiu:

– Quando percebemos que os papéis do húngaro podiam causar problemas, decidimos queimá-los.

Os russos perguntaram o que diziam aqueles papéis e Pirilo deixou Bebéi responder, pois sabia que ele ainda não tinha ideia do que Ludmilla havia descoberto sobre a chantagem.

Bebéi contou em detalhes toda a história de Arpad, desde as ruas de Budapeste até a briga com sua filha Morgen, e toda a suspeita que tinham de que o húngaro tivesse sido um agente duplo trabalhando para os americanos e para os comunistas. A única coisa que não mencionou foi a folha com os vinte e seis nomes de livros, pois Pirilo lhe havia pedido explicitamente e reiteradas vezes que aquela folha com os nomes dos autores e as palavras-chaves não fosse mencionada na frente de ninguém, especialmente na frente dos russos e da Senhora da Embaixada.

Continuaram conversando e Pirilo fez três importantes descobertas. A primeira era que os russos eram simpáticos, pois ficaram conversando por toda a manhã e emendaram a reunião com um almoço em que foi servido arroz com polvo preparado por dona Cécy e que apenas foi terminar às quatro da tarde, quando Pirilo teve de sair para sua reunião diária com o prefeito. A segunda era que os russos gostavam de beber: a primeira garrafa de vodca terminou no almoço e praticamente apenas os dois russos a tomaram; a segunda já estava vazia no início da tarde – é verdade que com a ajuda de Ilona, que almoçou com eles e continuava tomando a terceira garrafa, que já estava quase vazia. A terceira descoberta era que os russos, apesar de brincalhões e bêbados, não eram nem um pouco tontos, pois ainda que Bebéi tivesse se comportado muito bem e não tivesse mencionado os vinte e seis livros, eles, com suas perguntas inocentes, certamente já haviam descoberto que o arquivo do húngaro escondia coisas que podiam ser muito interessantes para eles.

Quando o almoço terminou, Bebéi chegou a pensar em passar pelo hotel para contar a Laurence o que tinham conversado, mas ele se sentia mal e foi até seu apartamento para dormir um pouco. Ele não bebia, mas apenas o odor da vodca e os pequenos toques de língua que tinha dado no copo todas as vezes que os russos propunham um novo brinde o haviam deixado completamente bêbado. Ele mal conseguia andar em linha reta e foi graças ao cachorro que conseguiu chegar a seu apartamento.

Apenas à noite, ele conseguiu voltar para a praça, onde encontrou Baumgarten. O velhinho tinha descoberto que a jovem cigana sua parceira também sabia jogar muito bem o xadrez. Tinha um pensamento extremamente rápido e era muito intuitiva, mas não conhecia os fundamentos do jogo e ele estava aproveitando para ensinar a ela os conceitos teóricos das grandes aberturas.

Baumgarten tinha um relógio de xadrez, coisa que Nullo e Robespierre, os dois grandes jogadores de Santa Clara, sempre quiseram ter. Com o relógio e a mesa com o tabuleiro pintado que ele mesmo mandou fazer quando chegou, ele e a jovem praticavam, sob o olhar atento de Dioclécio, pois o velhinho tinha colocado a mesa bem ao lado do banco onde o velho filósofo alimentava seus gatos.

Laurence e Pirilo também passaram pela praça. Ela tinha algumas novidades para contar, mas foi Bebéi quem começou a conversa falando da reunião com os russos. E, depois de ouvi-lo, foi Baumgarten quem fez uma pergunta:

– A Senhora da Embaixada sabe que os russos estão por aqui? E sabem os russos que a Senhora está interessada nos mesmos papéis?

Quem respondeu foi Pirilo:

– A Senhora pode ser que ainda não saiba, mas é muito bem-informada e, rapidamente, vai saber. Aos russos não contamos, mas, pelas coisas que mencionaram durante o almoço, tenho a impressão de que desconfiam de que os americanos também podem estar interessados nos papéis.

– Que bom! – comentou o velho, sorrindo. Pirilo não entendeu.

– Não acho que seja bom. Se os russos e os americanos sabem que estão interessados nos mesmos papéis, pode ser que tentem fazer alguma coisa mais drástica para consegui-los.

– Não creio – disse o velhinho, que continuava jogando tranquilo e até indicando com o dedo as jogadas que a jovem cigana deveria considerar. – Pelo que aprendi lendo livros de espionagem, quanto mais pessoas souberem, mais seguros nossos amigos Laurence e Bebéi estarão. Nenhum de nós, nem os policiais da Prefeitura, e digo isto com todo o respeito que tenho por eles, podem protegê-los se americanos ou russos decidirem fazer alguma coisa. Mas se americanos e russos sabem que o inimigo está interessado, são eles mesmos que vão assegurar a proteção de nossos amigos.

Pirilo ficou pensativo e o velho Baumgarten continuou:

– Nenhum de nós sabe onde estão os papéis. Sabemos que não estão com você e que você é o único que sabe onde estão. Nem Bebéi nem Laurence sabem, e é melhor que continue sendo assim.

A ideia parecia interessante, mas havia uma coisa que preocupava Pirilo: Bebéi era o único que sabia onde estava escondida a chave. Ele sabia que Bebéi não tinha contado a ninguém e era importante insistir com ele para que não contasse.

Continuaram conversando e combinaram que Pirilo iria ligar para a Senhora e para os russos, contando que seus inimigos também estavam procurando os papéis do húngaro. Quando tudo já estava definido, foi a vez de Laurence contar suas novidades:

– Recebi um telefonema do escritório dos advogados dizendo que alguns investidores estão querendo fazer uma oferta para comprar a propriedade de Arpad em Santa Clara. Eles querem conversar comigo amanhã.

– Muito cuidado – disse Pirilo. – Esses tipos de Miami não são confiáveis. Escute bem o que vão propor e não diga nada. Depois estudaremos a proposta com muita cautela.

Como ainda se sentia um pouco enjoado, Bebéi preferiu voltar para casa. O dia seguinte prometia ser bem movimentado. Paul chegaria de viagem e o prefeito estava prometendo novidades. Mas o que mais o preocupava era que a embaixadora da França, sua chefe, andava de péssimo humor. Pelo que Carmela contava, a culpa era da nova academia de ginástica de Lúcia. Desde que Negro Zen começara a trabalhar ali, as jovens de Santa Clara faziam fila para tomar aulas particulares de meditação e, em razão de todos aqueles pedidos, ele quase já não tinha mais tempo para dedicar à embaixadora. E, sem o Negro Zen, ela ficava insuportável!

Capítulo XXX
A confraria dos puros descobre o que estava bem no centro da nova cidade

Se Professor Paul já tinha ideias estranhas quando viajou, imaginem ao regressar! E foi o que percebeu Ilona no caminho de volta do aeroporto. O voo chegou tão cedo que ela foi direto do Café e, por isso, seguia com seu bom-humor noturno. Depois de passar várias semanas entre o Santo Sepulcro de Jerusalém e as terras da antiga Pérsia, em uma expedição organizada pelos chineses para investigar indícios da presença de civilizações de outros planetas naquela região, Paul estava eufórico. Na perua, ele contava sobre os lugares que tinha visitado e as descobertas que fizeram sobre uma outra confraria que existiu no século XI, o período da história que mais o fascinava. Paul acreditava que, aproximadamente, em 1013, nosso planeta tinha recebido visitantes espaciais.

– O nome em árabe é Ikhwan al-Safa – explicava ele, ainda entusiasmado, mesmo depois de todas aquelas horas de viagem – e isso talvez possa ser traduzido como "a irmandade dos puros". Aparentemente, foi um grupo de filósofos, pensadores e cientistas que trabalharam em segredo, escondidos dentro de grutas e, segundo se dizia, formaram uma confraria secreta. Mas uma confraria um pouco distinta da confraria dos pelagatos de Santa Clara, pois eles não bebiam tanto e, por isso, tiveram tempo para escrever uma das primeiras enciclopédias que conhecemos. Foram cinquenta e dois tratados cobrindo vários setores do conhecimento: álgebra, geometria, astronomia, música, filosofia e psicologia. E, se quisermos brincar com a imaginação, é como se um grupo de pessoas tivesse transcrito todo o conhecimento dos antepassados que, segundo o avô de Irigandi, estava escondido dentro do Segredo do Darién, para com ele preparar uma enciclopédia.

Irigandi escutava, pensando "Pena que avô não está mais aqui para escutar essas coisas". Ela estava feliz. Paul estava ajudando a aproximar dos sábios de seu povo o conhecimento de outros segredos que existiam pelo mundo e que talvez pudessem ajudá-los a entender melhor o que estava escondido no Darién.

Mas o interesse em escutar as histórias de Paul desapareceu quando viram os primeiros outdoors anunciando que Santa Clara Frente ao Mar finalmente entraria no século XXI.

A data de passagem para o novo século já estava definida: seria no dia 11 de agosto, dia em que tradicionalmente se celebrava a festa de Santa Clara. Naquele ano, além do tradicional desfile de bandas, haveria um evento especial, pois o prefeito autorizaria o início das obras da nova cidade.

Os desenhos que apareciam nos cartazes e outdoors espalhados naquela manhã por toda a cidade eram impressionantes. Enormes torres de apartamentos, de arquitetura arrojada como as que se viam nas ricas cidades do petróleo árabe. Em frente ao calçadão, novas marinas com iates tão grandes como os que apareciam nas fotos do Principado de Mônaco. E, nas ilustrações, as pessoas pareciam saídas das revistas do salão de Priscília, que traziam as fofocas do jet set internacional. Da cidade antiga que todos conheciam só o que aparecia e em apenas em um dos cartazes, era um desenho da nova Praça da Catedral, que mais parecia a grande Praça de San Marco, em Veneza, cheia de mesas e turistas.

Não havia um lugar sequer em toda a cidade onde não houvesse um cartaz. Parecia véspera de eleições. Mais impressionante ainda foi a publicidade na televisão. Foram quase dois minutos de um anúncio que foi repetido, insistentemente, o dia todo e que começava com imagens opacas da cidade antiga, do calçadão e do bairro mais pobre do outro lado do rio, de onde pareciam desabrochar novas construções, modernas e coloridas, transformando a cidade antiga na Santa Clara do futuro.

O rio desaparecia completamente e ali nascia um enorme shopping center que conectava a cidade com as megatorres, cada uma mais bela e arrojada que a outra. Do outro lado da cidade, onde estava o mercado, outras tantas torres também desabrochavam, ocupando a avenida que separava a cidade antiga do resto da cidade moderna. As pequenas ruas que davam acesso à cidade antiga se transformavam em grandes avenidas e todos que caminhavam pelas ruas, no filme da televisão, estavam elegantemente vestidos e com modernos automóveis.

Foi tanta a promoção, que acabou por despertar inveja nas outras cidades do país e foi acompanhada de uma série de entrevistas e artigos nos grandes jornais, mencionando que a modernidade finalmente tinha chegado a Santa Clara.

O prefeito, que a partir daquele dia passou a vestir um terno mais elegante para dar entrevistas, era por todos os lados mencionado como um pioneiro em atrair o investimento estrangeiro, "alguém que finalmente compreendeu os benefícios deste mundo globalizado e que lança Santa Clara em direção ao futuro". Pelo menos, era isso o que dizia o anúncio na televisão.

Os números mencionados também causavam espanto. A quantidade de empregos que seriam criados na construção era ainda maior que o número total de habitantes da cidade. A quantidade de cimento seria tão grande que daria para construir uma ponte até Miami. E as cifras dos novos negócios que seriam criados superava a capacidade de compreensão de qualquer um que caminhava pelas estreitas ruas de pedra da velha cidade.

Na reunião que sempre faziam ao final da tarde, o prefeito perguntou a Tenente Pirilo como havia sido a primeira reação e a única resposta que lhe ocorreu foi dizer que não houve uma primeira reação, pois todos ainda estavam paralisados pelo choque.

Em frente à barbearia, um dos cartazes mostrava a nova avenida de entrada da cidade antiga e Rasta Bong jurava que, pelo desenho que aparecia no cartaz, a avenida iria passar bem ao lado de sua casa e, onde estava o quarto de Grená, no canto da casa, no desenho aparecia um enorme semáforo.

– Como você vai fazer para viver em um semáforo? –perguntava ele a Grená.

No cartaz que mostrava a nova Praça da Catedral, onde estava a livraria de José Princesa aparecia um restaurante de comida árabe e onde estava o pequeno depósito em que Dioclécio dormia com seus gatos apareciam elegantes banheiros, o que levou Nullo a comentar com Dioclécio:

– Vai acordar mijado todos os dias!

Era impossível reagir de uma forma racional.

– O rio desaparece! – dizia Gigi. – Como pode desaparecer um rio? Onde vão colocar toda a água que passa por ali e desemboca no mar?

De acordo com os desenhos apresentados, os casarões que davam para o calçadão continuariam ali, mas comparados às enormes torres que se estendiam para o norte e para o sul pareciam tão pequenos que quase não eram visíveis.

– Sua casa e seu restaurante vão ser agora um traço e um ponto no desenho da nova cidade – foi o comentário de Gigi, que deixou Ilona tão furiosa que, imediatamente, avisou aos empregados que a partir daquele momento o prefeito estava terminantemente proibido de entrar no Café.

Até os jovens da academia de Lúcia, que eram defensores entusiastas da modernização da cidade, estavam assustados. O velho armazém onde Lúcia havia montado a academia tinha sido substituído, nos cartazes, por uma enorme e moderna ponte pela qual as pessoas caminhariam do novo centro comercial até a rua que levava à nova Praça da Catedral.

– Não se preocupe – disse o pai de Lúcia. – Você terá uma nova academia em uma das torres. Já acertei isso com o prefeito.

Mas o problema não era apenas a localização. Sair da academia dentro de uma das torres para entrar em um automóvel não era o que queriam. O que satisfazia os frequentadores da academia era sair dos exercícios com a roupa ainda suada e cruzar a praça exibindo no corpo os resultados do esforço físico, tomar um café ao lado dos livros na livraria de Princesa ou comer os pastéis fritos de Laís.

– Gostando ou não, não há nada que possamos fazer – dizia Nullo Rompido. – Uma enorme quantidade de dinheiro está envolvida nesse projeto e não somos nós, um bando de pelagatos, que vamos conseguir detê-los.

A discussão continuou pela tarde e pela noite em todas as casas, esquinas, bares e restaurantes da cidade. Mas, no Café da Ilona, Laurence não queria saber dos planos da nova cidade. Para ela, o dia tinha sido bem movimentado; primeiro uma reunião com os advogados e depois um encontro com o prefeito. E era isso que ela contava a Ilona e alguns amigos:

– Os advogados me chamaram. Eles encontraram um comprador com uma excelente proposta para o terreno de Arpad.

Contou também que lhe haviam oferecido um milhão de dólares, o que era muito mais do que seu avô havia pago pelo terreno.

– Aparentemente, necessitam da propriedade para o projeto da nova cidade – acrescentou.

– Deixe-me entender melhor – interrompeu Jordi. – Isso quer dizer que se você não vender o terreno eles não poderão construir a nova cidade?

– Não é tão simples – respondeu Laurence. – À tarde, o prefeito pediu a Bebéi que nos levasse ao seu gabinete e fomos os três: Baumgarten, Bebéi e eu.

Laurence contou que no encontro o prefeito tinha sido muito atencioso. Ele lhes explicou que o projeto da nova Santa Clara era muito importante para a cidade e que, por isso, não podia impedi-lo. Recomendou também que ela aceitasse a oferta, pois estavam pagando um preço bem acima do valor de mercado. Explicou que os que não aceitavam vender suas propriedades estavam sendo desapropriados pela Prefeitura, pois a Nova Cidade era um projeto de grande interesse social. Mencionou, até, que pelo carinho que tinha por Bebéi, seu amigo e general da banda, ele mesmo iria conversar com os árabes e fazer todo o possível para convencê-los a aumentar a oferta.

– E todos a quem perguntamos nos confirmam que o prefeito tem razão – disse Laurence. – Estão desapropriando as terras daqueles que se recusam a vender e, pelo que nos explicaram os advogados amigos de Ilona, é muito melhor aceitar e vender, pois assim o pagamento é mais rápido.

– Isso é o que eles dizem, mas me conte... o que é que você quer fazer? – perguntou Ilona.

– Pedi aos advogados alguns dias para conhecer a propriedade e pensar – respondeu Laurence.

– E, depois de pensar, a primeira coisa que vai fazer é dizer a eles que por esse preço o negócio não interessa – disse Baumgarten. – Se lhe ofereceram um milhão é porque estão dispostos a pagar muito mais.

Laurence contou também o pouco que sabia da propriedade e Ilona comentou que a conhecia bem:

– Quando Júlio e eu compramos nossa casa, também pensamos naquele terreno. É aquela área desocupada depois do forte. – E explicou a Laurence e a Baumgarten: – Vocês conhecem onde está minha casa. Depois vem o Casarão de Pedra e depois as ruínas do forte. O seu terreno está depois do forte e antes do rio. A parte de frente para o mar é mais ou menos do mesmo tamanho do meu terreno, mas o seu tem também todo aquele espaço vazio atrás do forte, que vai até o campo de treinamento dos militares e o galpão dos rastafáris.

– Ou seja, bem no meio do novo centro comercial da nova cidade – complementou Jordi.

– Bem no meio! – confirmou Ilona. – E são dois mil e quatrocentos metros quadrados! Para nós o terreno não interessou, pois era mais distante do Café e teríamos de construir uma nova casa. Foi por isso que compramos a casa que já estava pronta e apenas tivemos de reformar um pouco. Mas lembro que, na época, Júlio tentou contatar o proprietário e nos disseram que ele não queria vender o terreno.

Ilona não continuou conversando, pois recebeu a inesperada visita de uma amiga cubana que não via fazia muito tempo. Ninguém ali parecia conhecê-la, apenas dona Cécy, que quando soube que ela estava ali veio correndo da cozinha para abraçá-la. Parecia ser uma velha e querida amiga, mas Bebéi nem teve tempo de conhecê-la, pois logo em seguida chegou Tenente Pirilo e eles ainda tinham uma outra reunião marcada para aquela mesma noite.

Tenente Pirilo havia convidado Laurence e Bebéi para um encontro com a Senhora da Embaixada americana. Como haviam combinado, Pirilo havia informado a Senhora de que os russos estavam na cidade interessados nos papéis do húngaro e havia informado os russos de que os americanos queriam os mesmos papéis. Foi a Senhora quem propôs o encontro e foi Pirilo quem sugeriu que ele fosse ali no terraço do Café.

Eles continuaram sentados na última mesa do terraço, à espera da Senhora. Junto com eles, Baumgarten, que não necessitava de cadeiras, pois tinha sua cadeira motorizada com a qual todos os que trabalhavam no Café da Ilona já estavam acostumados. O velho parecia se divertir com aquelas reuniões e comentou:

– Santa Clara é muito mais divertida que qualquer cidade que conheci.

Bebéi, ao seu lado, concordou sorrindo.

Capítulo XXXI
O misterioso agente Z surpreende russos e americanos

Em Santa Clara Frente ao Mar, o inesperado parece ser parte da rotina, mas ainda assim o que a Senhora contou naquela noite surpreendeu a todos. Ela entrou no Café elegante como sempre, com um vestido bege discreto e um lenço com desenhos em bege e alaranjado, que chamava a atenção pela alegria das cores e pela beleza. E não vinha só: ao seu lado estavam os dois russos, antigos KGB. Ela entrou com a confiança de quem sabia que, de uma vez por todas, ia esclarecer o que fazia o vizinho de Bebéi.

Sentaram-se todos no terraço e Ilona mandou reservar as mesas vizinhas para que eles pudessem conversar tranquilos. Foi a Senhora quem, depois de cumprimentar a todos e pedir um mojito, começou a compartilhar o que sabiam e queriam saber sobre o agente Z.

– Como vocês descobriram em suas investigações, o senhor Arpad Corvinus não era apenas um funcionário que ajudava a CIA no Congo. Ele também era um informante de Barba Roja, a quem conhecera por recomendação de Che Guevara e de sua amiga Tamara Bunke.

Todos ali estavam calados, escutando com atenção, mas, inquestionavelmente, quem mais se divertia ali com todas aquelas histórias de espiões, bem no meio de suas férias, era o velho Baumgarten.

– Graças ao contato com a Stasi, Arpad também se aproximou da KGB e por muitos anos trabalhou como agente duplo. Isso foi o que vocês descobriram e lhes agradecemos muito por isso. – Depois de fazer uma pausa para ajudar a criar um certo suspense, ela continuou: – Mas o que vocês não sabem é o que Arpad fez depois de 1976, quando saiu do Congo, e lhes confesso que nem nós, e tampouco os russos, sabíamos. – Fez outra pausa para tomar mais um gole de seu mojito, pois ela mesma estava surpresa com tudo o que havia descoberto nos últimos dias. – Os documentos que Bebéi encontrou demonstram que Arpad tinha contato com um certo Francisco em, Angola, e com o agente K, em Khartum. Um deles trabalhava com a CIA o outro com a KGB e tanto um como o outro pareciam estar frustrados com seu trabalho e tinham alguma relação com a Stasi alemã.

Ninguém ali se movia enquanto escutava.

– Os dois nomes foram investigados anos atrás, tanto por nós como pelos russos – continuou a Senhora –, pois desconfiávamos que alguém entre eles podia ser o homem ou a mulher que nos estava chantageando.

Os olhos de Bebéi brilhavam e ele pensava que tudo aquilo tinha começado com a gaivota, pois tinha sido graças a ela que eles descobriram o apartamento do húngaro.

– O que lhes vou contar – disse a Senhora – é uma história que muitos de nós pensávamos ser apenas uma lenda, mas que agora sabemos foi real. Ao final dos anos 1970 passamos a receber ameaças de uma mulher canadense chamada Valerie, que dizia ter provas de que a CIA tinha estado envolvida com uma série de atentados políticos na África. E não eram coisas pequenas; havia também coisas bem significativas que nunca foram explicadas, relacionadas à morte do Secretário Geral das Nações Unidas, Dag Hammarskold, em um acidente de avião. A CIA preferiu pagar o que aquela mulher pedia e evitar que aquelas acusações fossem a público – e parou para outro gole de mojito. – Como podem imaginar, fizemos o possível para descobrir quem era aquela Valerie. Sabíamos que vivia em Quebec e conseguimos até identificar para onde ia todo o dinheiro que lhe pagávamos. Descobrimos que tudo era transferido para organizações não-governamentais que apoiavam populações africanas, como a Fundação Banyamulengue, criada pela mãe de Laurence. Essa chantagem continuou até o início dos anos 1980. Foi quando descobrimos que, se nós tínhamos a nossa Valerie, os russos tinham a sua Natasha, que vivia em Praga e estava chantageando a KGB e o governo russo da mesma forma que Valerie nos chantageava.

Mesmo Pirilo, que até então dava pouca importância àquelas histórias de espionagem, escutava curioso. E a Senhora prosseguiu:

– Foi quando decidimos unir os esforços dos dois serviços secretos, pois percebemos que provavelmente Valerie e Natasha eram a mesma pessoa, já que havia muitas coisas relacionadas à guerra civil entre os hutus e os tutsis que apareciam tanto na chantagem de uma como na chantagem da outra. Investigamos na época vários agentes duplos, incluindo esse Francisco que, na verdade, era uma mulher portuguesa, e o agente K, que era um hindu, mas nunca investigamos Arpad. Como expliquei, ele era apenas um funcionário de pouca importância e que parecia estar desmotivado quando decidiu abandonar seu trabalho na África em 1976... – Ela interrompeu a explicação para pedir a Ilona um segundo mojito, antes de continuar. – Foi apenas agora, graças a suas investigações e à folhinha que Bebéi preparou – e ela olhou sorrindo para ele – e que vocês mantinham escondida, mas da qual consegui uma cópia, que finalmente descobrimos a identidade do agente Z.

A Senhora, então, mostrou a folha com as anotações de Bebéi, agora completa:

A –	Auden	Francês	Argélia
B –	Boll	Espanhol	Barba Roja
C –	Conrad	Francês	Congo
D –	Durrel	Espanhol	Dominicana
E –	Elliot	Alemão	Eszter
F –	France	Português	Francisco
G –	Grass	Espanhol	Guevara
H –	Hesse	Húngaro	Horthy
I –	Ibsen	Inglês	Indonésia
J –	Joyce	Húngaro	Janus
K –	Kafka	Inglês	Agente K
L –	Lawrence	Húngaro	Lali
M –	Marai	Inglês/Alemão	Morgen
N –	Neruda	Russo	Natasha
O –	Orwell	Alemão	Otto
P –	Pasternak	Tcheco	Praga
Q –	Quasimodo	Francês	Quebec
R –	Rilke	Russo	Rússia
S –	Szabo	Espanhol	Santa Clara
T –	Tolstoi	Alemão	Tamara
U –	Unamuno	Inglês	USA
V –	Virgílio	Inglês	Valerie
W –	Whitman	Inglês	Walden
X –	Xingjiang	O último livro	
Y-	Yeats	Russo	Yuri
Z -	Zola		Agente Z

– E como vocês ainda não entendem algumas das coisas que estão aí, lhes explico. O contato da CIA com Valerie se fazia através de um agente que se chamava Walden e o contato da KGB com Natasha era feito pelo agente Yuri. A pessoa que por todos estes anos esteve nos chantageando era conhecida nos dois países como Agente Z. – Nesse momento, ela fez uma pausa; talvez estivesse um pouco emocionada por comentar aquele nome. – O agente Z passou a ser uma lenda, pois nunca ninguém conseguiu descobrir quem era. Aquela pessoa que por tantos anos chantageou a CIA e a KGB, o agente Z, era seu vizinho, Bebéi. – E depois, olhando para Laurence: – Seu avô, Arpad Corvinus! É por isso que tanto nossos amigos russos como nós queremos saber o que havia dentro do livro de Zola e onde estão escondidos os documentos que Valerie e Natasha utilizaram para nos ameaçar.

Pirilo e Bebéi olharam, atônitos, para aquela folha de papel e ela, depois de uma pausa, continuou:

– Aparentemente, Arpad decidiu se vingar tanto dos americanos como dos soviéticos por tudo o que havia visto na África. Com a ajuda de Francisco e do agente K, juntou uma série de informações confidenciais e as utilizou para fazer a chantagem. E a fez de uma forma bem inteligente, pois nunca conseguimos descobrir quem era. E o interessante é que não fez por ele, pois todo o dinheiro que recebia era transferido para organizações que apoiavam as vítimas daquela guerra política entre os dois países. Apenas suspendeu a chantagem quando percebeu que russos e americanos estavam trabalhando juntos e que, provavelmente, iríamos descobrir sua identidade. Mas nunca nos entregou os documentos. O agente Z simplesmente desapareceu sem deixar traços. Nunca mais Walden recebeu uma mensagem de Valerie, nem Yuri de Natasha. Conhecíamos os endereços e continuamos observando atentos e, por mais de dez anos, não houve nenhum movimento até que Natasha recebeu a carta de Bebéi e até que Tenente Pirilo nos entregou as notas que estavam dentro do livro de Virgílio.

Pirilo se apressou em explicar que só o que eles tinham eram os documentos encontrados dentro dos livros e, percebendo que tudo aquilo era muito mais complicado do que apenas um incidente local, mandou seu assistente buscar as pastas que ele havia escondido no depósito atrás da Catedral, onde Dioclécio dormia com seus gatos. Enquanto esperavam, a Senhora percebeu que Pirilo estava fazendo o possível para evitar que Bebéi falasse e, como conhecia bem os dois, preferiu ser paciente.

Quando chegaram os envelopes, especialmente os de Walden e Yuri, que estavam nos livros de Whitman e de Yates, ela leu e comentou:

– Aqui estão as descrições do que ele fazia. E o que buscamos não é a descrição, mas os documentos que ele possuía e que pareciam comprovar as coisas que o agente Z mencionava nas chantagens de Valerie e de Natasha.

Tanto a Senhora quanto os russos insistiam em saber o que havia dentro dos livros de Xingjiang e de Zola. Pirilo mostrou o livro de Xingjiang, que também estava guardado, em cuja última página estava escrito, no mesmo francês da tradução do livro que Arpad havia lido: "Meu último livro... de que me serve continuar lendo?".

– E no livro de Zola? – perguntou a Senhora – O que havia?

Pirilo preferiu não responder. Antes ele precisava conversar com Laurence, pois nem ela sabia da existência da chave. A única pessoa que sabia era Bebéi e ele olhava fixamente para Pirilo, esperando uma indicação do que deveria fazer.

A Senhora percebeu que seria melhor não insistir e fez uma proposta:

– Nem vocês nem os que invadiram o apartamento encontraram nada. Deixem-nos tentar. Se é que existe alguma coisa dentro daquele apartamento, poderemos encontrar com nossos equipamentos.

Pirilo não tinha objeções àquilo. Tampouco Laurence. Mas quem fez um comentário oportuno foi o velhinho Baumgarten, que até então estava em silêncio:

– Imagino que para fazer essa inspeção detalhada do apartamento vocês serão obrigados a destruir muitas coisas. Creio que seria justo que, no final, os governos de seus países voltem a colocar o apartamento em condições para que a senhorita Laurence possa viver ali, incluindo, móveis, tapetes e cortinas novas, não lhes parece?

A Senhora e os russos sorriram e aceitaram.

– Com isso, você terá seu apartamento pronto para viver e não será preciso gastar com o hotel – foi o comentário do velhinho, sorridente e orgulhoso de sua engenhosidade, para Laurence.

Capítulo XXXII
Pausa para uma sopa de grão-de-bico com linguiça portuguesa

No dia seguinte Tenente Pirilo fez algo que há muito tempo não fazia: acompanhou o senhor Baumgarten às compras no mercado público. Desde o jantar na casa de Clara que Pirilo, sempre que podia, passava pela praça para conversar com ele, e a ida ao mercado era parte de um pedido muito especial que feito no dia anterior:

– Quero tomar uma sopa de linguiça com grão-de-bico igual à que minha mulher faz em nossa casa em Portugal.

Pedir a dona Cécy ou a Laís ele não queria:

– As duas são excelentes cozinheiras. Tão boas que, certamente, vão querer fazer a sopa à sua maneira. E o que eu quero é uma sopa igual à da minha senhora, pois é a que estou acostumado a tomar.

A cozinha de Bebéi não servia. O apartamento era no terceiro andar e seria muito complicado levar a cadeira de rodas de Baumgarten até lá. A solução foi utilizar a cozinha da casa de Pirilo, que nunca era usada, pois ele sempre comia na taverna do asturiano ou na casa de Clara ou de Grená.

Antes de cozinhar, porém, os três tiveram de ir às compras. Ainda pela manhã, Bebéi e Pirilo passaram pelo hotel para buscar Baumgarten e encontraram com a Senhora da Embaixada, que estava entrando no hotel com um americano que acabara de chegar a Santa Clara. Parecia ser alguém importante, pois ela mesma tinha ido buscá-lo no aeroporto.

O que mais chamou a atenção deles foi que o americano também usava uma cadeira de rodas motorizada.

– Que acham de convidá-lo para uma corrida de cadeiras de rodas no calçadão? – perguntou Baumgarten, sorrindo.

Dali os três foram ao mercado e o passeio acabou sendo uma excelente oportunidade para conversarem sobre o que sabiam e compartilharem o que os preocupava:

– Primeiro é importante que encontremos uma boa linguiça. Pedi ao senhor Bebéi que cozinhasse os grãos-de-bico por hora e meia para não termos de esperar tanto pelo cozimento. Mas é fundamental que compremos uma boa linguiça portuguesa.

Encontrar a linguiça que buscavam levou muito tempo, pois Baumgarten era muito exigente e profundo conhecedor do que buscava. E, enquanto circulavam dentro do mercado, eles conversavam:

– Pelo menos sabemos o que o húngaro escondia e já temos russos e americanos buscando os documentos perdidos, mas ainda existem coisas que não entendo, tenente – dizia Baumgarten. – Quem foi que tentou roubar o apartamento do senhor Bebéi?

Conversando com Baumgarten, Pirilo sempre se sentia importante, pois o velho lhe dava a impressão de estar interessado em aprender. E a verdade era que suas perguntas o obrigavam a pensar.

– Foram os do escritório de advocacia que tentaram invadir o apartamento. E não foi pelo que buscava a Senhora ou os russos, pois os de Miami não pareciam ter a menor ideia de quem era o húngaro, muito menos dos documentos que ele escondia.

O único interesse dos advogados era a venda da propriedade do húngaro aos investidores árabes e invadiram o apartamento para tentar evitar que descobríssemos quem era o húngaro e que ele era o dono do apartamento e do terreno perto do forte.

– Muito interessante seu comentário e, como sempre, muito atinado – disse Baumgarten. – Mas agora que já encontramos a linguiça, temos de comprar as verduras. Precisamos também de cebola, alho, cenoura, salsão e batata-doce. Mas, Tenente, qual é sua opinião? Acredita que os advogados não vão mais importunar o senhor Bebéi? Lembre-se de que eles tentaram por uma segunda vez invadir o apartamento.

– Não creio, respondeu Pirilo. Antes eles estavam preocupados em descobrir quem era a herdeira, mas agora o que querem é comprar a propriedade de Laurence.

– Muito correto seu pensamento, mas existe um aspecto da questão que ainda não tenho claro, senhor Tenente: a propriedade ainda pertence ao senhor Arpad, não é verdade? E como ainda não fizeram o inventário para passá-la à herdeira, pergunto-me o que se passaria, por exemplo, se algo como um acidente ocorresse com a senhorita Laurence e, Deus a livre, ela morresse. Creio que nesse caso a propriedade permaneceria no inventário do senhor Arpad e os advogados poderiam vendê-la aos investidores, pois aparentemente para isso eles estão autorizados, não lhe parece?

Pirilo pensou por alguns minutos e o senhor Baumgarten complementou:

– O que me preocupa é que acabamos por transformar a senhorita Laurence em um importante alvo para eles. Se querem a propriedade a qualquer custo, uma boa alternativa poderia ser, simplesmente, eliminar a herdeira.

Para Pirilo a ideia de assassinos e assassinatos em Santa Clara parecia uma paranoia e, por isso, tentou encerrar a discussão:

– Provavelmente, o senhor tenha razão, mas nada vai acontecer com Laurence.

– Tenho certeza que não... – comentou Baumgarten, insistindo – mas não nos esqueçamos que estamos falando de um projeto de milhões e milhões de dólares e que por muito menos eles foram capazes de contratar profissionais para invadir o apartamento do senhor Bebéi e amordaçá-lo na banheira. Isso sem mencionar a possibilidade de que a senhorita Laurence decida não vender a propriedade. Mas, antes de prosseguir, passemos naquela barraca, pois a batata-doce ali parece estar mais bonita.

Bebéi, que os escutava, já estava começando a se preocupar. "Será que alguém poderia querer fazer algum mal a Laurence?", pensava. Mas Pirilo logo o tranquilizou:

– Pelo sim, pelo não, vamos dar a ela uma proteção especial. Vou colocar uma escolta vinte e quatro horas por dia a seu lado.

– Que sábia decisão, senhor Tenente: prevenir é sempre a melhor alternativa. Agora, apenas por divertimento, enquanto buscamos umas folhas de louro e o cominho, me conte, Tenente, o que eles poderiam fazer. Não nos esqueçamos que estão dispostos a pagar um milhão de dólares para ter o seu terreno e, certamente não hesitariam em utilizar esse milhão para matá-la. Diga-me, senhor Tenente, o senhor que é tão bom nessas investigações: como crê que eles tentariam matar alguém como Laurence.

Pirilo gostava daqueles desafios. Pareciam as perguntas que Cristina lhe fazia e que muito o ajudavam a pensar.

– A primeira coisa seria contratar um assassino, o que não seria difícil, pois hoje existem muitos no mercado.

– Quer dizer que é fácil encontrar um assassino? Assim tão fácil como comprar linguiça no mercado? – perguntou impressionado. – Novos tempos!

O velhinho se divertia com suas compras e com sua aula particular de detetive:

– E como faria o senhor para descobrir se alguém está contratando um assassino profissional para matar Laurence?

A pergunta não era fácil mas, enquanto esperava Baumgarten terminar suas compras, Pirilo aproveitou para pensar nas várias opções e apenas respondeu quando saíram do mercado e tomaram caminho de volta:

– Perguntar não nos ajudaria muito, pois no mundo desses profissionais ninguém gosta de responder a perguntas e muito menos de meter-se no negócio dos outros. A melhor alternativa, em minha modesta opinião – e ele dizia isto sem nenhuma modéstia –, seria passar a informação de que estamos buscando um assassino para matar Laurence e que estamos dispostos a pagar uma quantia absurda de dinheiro por isso. A notícia se propagaria rapidamente e, com um pouco de sorte, confundiríamos os assassinos contratados, que se interessariam em saber se podemos pagar mais do que os outros já lhes estão pagando.

– Genial, tenente! Veja, senhor Bebéi, a diferença entre um profissional em investigações como Tenente Pirilo e dois curiosos como nós. Uma ideia como esta jamais passaria por minha cabeça e creio que tampouco pela sua, não é verdade?

Como a caminhada levou uns bons quinze minutos, senhor Baumgarten continuou fazendo perguntas, enquanto desacelerava sua cadeira para não ir mais rápido que seus dois acompanhantes.

– Como podemos fazer para melhor proteger nossa Laurence enquanto os assassinos profissionais não entram em contato conosco? A ideia da escolta me parece boa, mas imagino que, se o assassino contratado for um bom profissional, a proteção de um único policial certamente não será suficiente, não é, senhor Tenente?

Pirilo, que já se sentia orgulhoso o respeito com o qual Baumgarten lhe fazia suas perguntas, aproveitou para exibir seus conhecimentos.

– Nosso assassino, certamente, não seria alguém de Santa Clara e teria de circular pelas ruas para descobrir o lugar mais recomendável para tentar atacá-la. Como a cidade é pequena, o que poderíamos fazer seria, em primeiro lugar, pedir à senhorita Laurence que não circule muito e, em segundo, passar a informação para aqueles que costumam caminhar pelas ruas... Além do senhor Bebéi, que seguramente vai continuar passeando com seu cachorro, com olhos atentos ao que se passa, temos os pelagatos que nos podem ajudar. Temos também Dioclécio, que passa todo o dia na Praça da Catedral, os ciganos da banda, e os amigos de Cristina e Jordi, que sempre circulam pela cidade. Estou certo de que, com todos atentos, rapidamente descobriremos alguém com comportamento suspeito.

Bebéi também fez sua contribuição ao plano de proteção de Laurence:

– Vou propor que ela fique com meu cachorro o tempo todo a seu lado. – Uma ideia que também pareceu interessante a Pirilo e a Baumgarten.

Já na casa de Pirilo, depois de refogar as verduras com um pouco de toucinho, de colocar a linguiça, o grão-de-bico e cobrir tudo com água fervendo, o velho Baumgarten prosseguiu com suas perguntas e reflexões.

– A ideia de divulgar a informação de que estamos dispostos a pagar muito a quem nos ajude a eliminar Laurence me parece muito boa. E como faríamos para passar essa informação?

Enquanto tomavam um vinho do Porto, a bebida favorita de Bebéi, e esperavam a sopa cozinhar, Pirilo continuou exibindo seus conhecimentos:

– Temos uma boa rede de informantes Essa rede nos permite chegar a todos os centros latinos, seja na América Central, onde operam as maras, no México, na Colômbia e na Venezuela, com seus cartéis de narcotraficantes, e em toda a América do Sul. Contamos também com bons contatos em Kingston e Port of Spain para o Caribe e, no caso de Miami e os outros centros nos Estados Unidos, podemos pedir ajuda à Senhora. Sua rede de informantes nos permitiu, em menos de vinte e quatro horas, descobrir quem eram os que tentaram invadir o apartamento de Bebéi. Para os europeus, podemos contar com a ajuda dos amigos de Ludmilla. São anarquistas românticos, mas muito bem informados. Já os utilizamos para obter informações do submundo europeu.

– Excelente! Vejo que com isso poderemos chegar aos assassinos.

Nesse momento o velho Baumgarten comentou, com expressão preocupada:

– Sinto que Laurence não vai aceitar a proposta para vender a propriedade. Ela está muito encantada com Santa Clara e isso me preocupa. E não falo pelo prefeito, que é seu chefe e a quem respeito...

A Pirilo lhe pareceu mais prudente não comentar a seriedade do prefeito. E Baumgarten continuou:

– ...mas vejo que neste projeto da nova Santa Clara existem muitos interesses e muito dinheiro envolvido. Não entendo muito dessas coisas, mas imagino que para algumas pessoas eliminar nossa Laurence pode ser uma opção atraente.

Ainda esperando a sopa ficar pronta, discutiam os detalhes do plano. Pirilo até começou a fazer alguns telefonemas para colocar o plano em movimento. O tenente não estava completamente convencido de que Laurence estava em perigo, mas depois daquela conversa ele concordava com o velho Baumgarten que era melhor serem precavidos.

– A gente nunca sabe... – disse Baumgarten.

Bebéi, que a tudo observava, se perguntava em silêncio se era Pirilo quem estava exibindo seus conhecimentos ou se era o velhinho, com seu sorriso e seu jeito doce de falar, que estava levando Pirilo a montar todo aquele esquema para proteger Laurence.

Capítulo XXXIII
Os velhinhos com suas cadeiras motorizadas invadem a cidade

O almoço foi bem agradável. Além da sopa de grão-de-bico com linguiça, que segundo Bebéi, estava quase tão boa como a que preparava dona Cécy, eles puderam compartilhar as novidades com Laurence, que se juntou a eles para a refeição. Primeiro falaram sobre Arpad.

– Foram tantas as coisas que ele fez em sua vida, mas desde que chegou em Santa Clara viveu sem amigos... – Esse era um fato que continuava perturbando Bebéi.

Um espião que trabalhou na África para a CIA, a Stasi, os cubanos e os russos, e que conheceu o lado sujo da Guerra Fria quando os grandes países destruíam as recém-liberadas nações africanas apenas para fazer prevalecer seus interesses políticos. Um vingador solitário que tomou a justiça em suas próprias mãos e fez americanos e soviéticos pagarem, ao menos em parte, pelos danos que haviam causado. Talvez um funcionário de pouca expressão, como dizia a Senhora, mas alguém que por dez anos enganou os mais poderosos serviços secretos do mundo. Um húngaro metade cigano, que apenas sonhava tocar seu violino para alegrar as pessoas nas ruas de Budapeste, mas que viveu em meio à amargura e terminou na solidão de seu apartamento.

Como era possível que ninguém em Santa Clara soubesse quem ele era? Essa era a questão que intrigava Bebéi, mas não era a única. Eles já haviam descoberto o que ele tinha feito, mas ninguém ainda tinha conseguido explicar por que um dia ele saiu de seu apartamento deixando prato, panela e talheres para lavar na pia da cozinha e partiu sem que ninguém soubesse para onde.

No almoço Bebéi entregou a chave a Laurence. Contou também que não havia nada escrito nem nota alguma dentro livro de Zola.

Tenente Pirilo insistia em que apenas a Laurence cabia decidir se queria ou não entregar aquela chave à Senhora e aos russos, mas, na sua opinião, seria melhor entregar, pois eles não parariam de pressionar.

Ela não respondeu. Queria pensar um pouco mais e, enquanto pensava, Baumgarten fez uma pergunta a Bebéi:

– Em que página estava o pequeno envelope com a chave?

– Na página 256 – respondeu Bebéi.

– Como vocês sabem – disse o velhinho – gosto muito de livros de mistério e me pergunto se não haveria no envelope, na própria chave ou no livro alguma indicação de que tipo de cofre ou gaveta esta chave abre.

– Deve haver algum cofre secreto dentro daquele apartamento – disse Pirilo – e conhecendo como trabalha a equipe da Senhora não tenho dúvidas de que vão encontrá-lo. Acredito que esta é a chave de que necessitamos para abri-lo.

– Eu não estaria tão seguro, senhor Tenente. Esta chave não parece ser de um cofre de apartamento. É uma chave bem sólida, que me faz lembrar as chaves europeias de cofres públicos, que têm de resistir ao tempo e ao uso intenso.

Eles examinaram a chave mas, como ali nenhum deles era serralheiro tampouco especialista em cofres, Laurence preferiu encerrar a discussão:

– Esperemos para ver se eles encontram algum cofre no apartamento. Aí decidiremos se entregamos a chave ou não. – E acrescentou: – Esta tarde quero aproveitar para visitar o terreno de Arpad.

Bebéi, imediatamente, se prontificou a levá-la e Baumgarten foi com eles. Tenente Pirilo não os acompanhou. Preferiu voltar a despachar em seu escritório. E fez todo o caminho sorrindo. Sua alegria não se devia apenas à sopa de grão-de-bico e linguiça, mas também ao fato de Cristina, sua assistente, finalmente estar regressando a Santa Clara. E Pirilo não era o único; Jordi estava eufórico desde o dia anterior, quando recebeu o telefonema de Cristina:

– Já terminei todos os trabalhos, conversei com os professores e eles me autorizaram a antecipar o regresso – dissera ela ao telefone. – Estou com muita saudade e quero lhe dar mais beijos do que todos aqueles que demos antes de viajar.

A euforia era tanta que Jordi pensou em todas as formas possíveis de sequestrar Cristina no aeroporto e levá-la para uma praia deserta, mas teve de aceitar a realidade de que a mãe e os amigos dela, ainda que não quisessem lhe dar tantos beijos assim, pelo menos tinham direito a um abraço.

Pirilo havia combinado com Jordi que à tarde ele e Cristina passariam em seu escritório. O que ele não sabia era que ela lhe reservava uma surpresa... e não era uma surpresa agradável.

Cristina entrou na Prefeitura e abraçou a todos. Pirilo olhava orgulhoso, pois sentia-se uma espécie de protetor da moça por tê-lacontratado quando ela mal entrara na universidade. Ela o abraçou com carinho e disse que queria que fosse ele o primeiro a saber que ela não continuaria a trabalhar na Prefeitura.

O tenente ficou paralisado e sem reação. Ela emendou:

– O compromisso que o prefeito me fez assinar foi o de continuar trabalhando em Santa Clara. Foi ele mesmo quem explicou que tinha mudado o contrato da bolsa de estudos e retirado aquela cláusula que dizia que eu deveria trabalhar na Prefeitura ao regressar. Aparentemente, ele e seu irmão queriam me convidar para trabalhar em alguns negócios em que os dois são sócios. Pois vou cumprir o compromisso que assinei. Vou trabalhar em Santa Clara, mas não na Prefeitura, nem para o prefeito. Vou trabalhar com Jordi no *Realejo de Santa Clara*. – E provocou Pirilo: – Quem sabe um dia você decide mandar o prefeito para o inferno e também vem trabalhar conosco?

Pirilo sorriu, pois era tudo que podia fazer ao ver a expressão de felicidade no rosto de Cristina. Mas era verdade que trabalhar na Prefeitura sem ela não ia ser nada divertido.

Cristina saiu dali feliz por estar de volta, mas um pouco surpresa:

– Pensei que ao chegar iria encontrar todos em barricadas defendendo a cidade e, desde que cheguei, ninguém mencionou ainda a nova Santa Clara.

– É como se todos pensassem que isso não vai acontecer – comentou Jordi. – Meu temor é que o dia em que descubram tudo seja tarde para evitar.

Eles não conversaram muito mais. Ilona, que tinha muito carinho pelos dois e sabia que dinheiro não lhes sobrava, tinha pago por algumas noites em um pequeno hotel perto da cidade, para que os dois pudessem dar todos os beijos pelos quais ansiavam.

Enquanto isso, Bebéi acompanhava Laurence e Baumgarten em sua visita à propriedade de Arpad. O velhinho se metia aos trancos e solavancos por todos os lados, sem a menor preocupação com a topografia do terreno. A vista que tinham da praia era espetacular. Dali podiam ver o forte, a baía da cidade e, do outro lado, o mangue, que seguia a costa até onde os penhascos encontravam outra vez com o mar.

– Entendo que é exatamente aqui que vão construir o centro comercial – disse Laurence. – E toda esta área onde hoje está o mangue e o bairro de Nádia é onde vão construir as novas torres que, pelo que escutei, já em uma primeira fase serão oito, com escritórios e apartamentos.

Era difícil acreditar que tudo aquilo poderia ser verdade. Naquele momento só o que se ouvia ali era o ruído das ondas batendo nas pedras. Tudo mais era silêncio e voo de gaivotas sobre o mar.

Uma gaivota vinha voando na direção deles. Bebéi até brincou:

– Acho que é a nossa amiga, que sente saudade do terraço.

A gaivota voou por cima do forte, subiu alto no céu e depois baixou num voo rasante, passando quase ao alcance da mão de Laurence. Continuou voando por sobre a cidade e depois pela linha da costa, seguindo o mangue e os penhascos, até desaparecer.

– Até parece que ela está querendo nos dizer alguma coisa – comentou Laurence.

Enquanto seguia com os olhos a gaivota, Laurence pensava que seu avô nunca quisera vender aquela propriedade, talvez sonhando que um dia sua herdeira pudesse viver ali.

Mais tarde, quando chegavam ao hotel, extasiados com tudo que tinham visto, um helicóptero se aproximava da cidade e parecia ser o mesmo em que Cavafys havia chegado com os russos. Por curiosidade, depois de deixá-los no hotel, Bebéi foi até o cais, onde encontrou o capitão grego e os dois russos, que esperavam pelo novo visitante: outro velhinho que, pelo que se via, também trazia uma cadeira de rodas motorizada.

– Acho que a corrida de cadeira de rodas vai ser bem concorrida – disse Bebéi ao capitão Cavafys, que nada entendeu.

Cavafys explicou que o russo era um antigo chefe da KGB e estava em Santa Clara especialmente para tentar recuperar os papéis encontrados no apartamento do húngaro.

Bebéi se aproximou e a primeira coisa que o russo fez, ao saber quem era ele, foi acariciar o cachorro e agradecer, em um francês perfeito, tudo que Bebéi havia feito para honrar a memória de Arpad, guardando os papéis e assegurando que tudo que lhe pertencia seria transferido à sua herdeira.

– Você é um homem admirável – disse o russo a Bebéi, que saiu dali pensando que todos os velhinhos em cadeiras de rodas eram simpáticos. Ele estava tão feliz pelo passeio e tão orgulhoso com o que havia escutado, que decidiu que naquela noite iria usar no peito a faixa tricolor de General da Banda Municipal de Santa Clara Frente ao Mar.

Capítulo XXXIV

As recordações de Arpad voltam à parede e cadeiras de rodas circulam pela praça

Coronel Vieira estava no auge de sua paranoia. Insistia que todos ali estavam sendo vigiados.

– Eles têm câmeras e microfones por todos os lados. Sabem tudo o que você fala e até o que pensa – explicava ele ao velho Baumgarten que aproveitava o sol da manhã sentado em sua cadeira de rodas, estacionada na praça em frente ao hotel. O plano preparado por Pirilo para proteger Laurence já tinha sido implementado e todos estavam atentos a qualquer pessoa estranha circulando pela cidade. E até aquele momento não havia novidades.

Na porta do hotel, o velhinho russo de cadeira de rodas motorizada os observava. Ele estava hospedado no mesmo hotel de Baumgarten e pela mesma razão: naquele hotel em frente à praça era possível entrar e sair sem incomodar ninguém. E como uma cadeira de rodas atrai a outra, o russo se aproximou de Baumgarten para com ele escutar as reclamações do Coronel.

– Até no confessionário da Igreja das Mercedes tem microfones. Sem falar dos quartos na Rua das Francesas.

Tudo que se passa ali é gravado. Hoje já não se pode nem dar uma trepadinha em paz.

Quando Coronel Vieira fez uma pausa para reorganizar seus pensamentos, o russo aproveitou para se apresentar. Disse que havia acabado de chegar e Baumgarten, que já sabia que ele tinha sido da KGB, apresentou-se como um amigo de Laurence, para que o russo entendesse que ele sabia bem por que ele estava ali.

Os dois ficaram escutando a ladainha do Coronel, alertando que o governo, os empresários, os comunistas, os padres e até sua ex-mulher o estavam vigiando vinte e quatro horas por dia. E escutavam com ares de quem está impressionado.

Do terraço do hotel, o outro velhinho, o americano amigo da Senhora, viu as duas cadeiras na praça e decidiu se aproximar. Chegou, se apresentou ao grupo e, junto com os outros dois, ficou ouvindo o discurso do Coronel sobre a invasão de privacidade no mundo moderno. Uma predica bem apropriada, pois se o russo era o ex-chefe da KGB, o velhinho americano que tinha acabado de chegar tinha sido o responsável por todas as operações da CIA na África nos tempos da Guerra Fria.

O russo e o americano já se conheciam de nome, mas nunca se haviam encontrado antes e estavam em Santa Clara pelo mesmomotivo: encontrar e destruir os papéis de Arpad.

Quando o Coronel se cansou de repetir seus argumentos e foi buscar uma garrafa de aguardente para repor as energias, os três iniciaram uma interessante conversa, comparando as vantagens e desvantagens de suas cadeiras de rodas – a russa, fabricada no Paquistão; a americana, fabricada na China; a alemã, fabricada na Turquia – e com isso passaram entretidos toda a manhã.

Os três sabiam que naquela mesma manhã especialistas dos dois países estavam examinando cada detalhe do apartamento de Arpad e, se havia mesmo alguma coisa ali, ela certamente seria encontrada. Dos três, o único que tinha novidades para contar era o americano:

– Sabemos que foi o escritório de advocacia de Miami quem contratou os especialistas para limpar o apartamento do húngaro e evitar que descobrissem a herdeira. Eles já tinham negociado com os árabes a troca da propriedade de Arpad e iriam ganhar uma boa comissão. Quando souberam que as coisas do húngaro ainda estavam no apartamento, mandaram limpar, e quando descobriram que no apartamento desse senhor Bebéi poderia haver documentos que levassem à herdeira, tentaram roubá-los também. Os advogados não sabem quem era Arpad nem imaginam o que ele tinha escondido ali. Por sorte, ainda não haviam destruído tudo o que levaram e conseguimos recuperar pelo menos as fotos. – E completou: – Segundo a elegante Senhora que trabalha em nossa embaixada, o senhor Bebéi tem uma memória privilegiada e com a sua ajuda será possível colocar todas as fotos em seus lugares originais. Quem sabe, assim, teremos alguma pista que nos permita encontrar o que buscamos?

O velho Baumgarten cada vez se divertia mais com suas férias nos trópicos. Segredos escondidos nos livros e agentes secretos da CIA e da KGB eram muito mais do que ele tinha em Portugal. E só não mencionou a seus novos amigos a existência da chave porque Laurence ainda não havia decidido o que fazer com ela. É verdade que o russo e o americano fizeram de tudo para descobrir se ele sabia mais alguma coisa, mas ele resistiu bravamente aos interrogatórios e não contou nada.

A única coisa preocupante era a outra informação que tinha o americano: os advogados de Miami tinham confessado que recebiam instruções de um egípcio que se chamava El Waun. Alguém que já era conhecido dos serviços secretos não por suas ações políticas mas por sua total falta de escrúpulos. O americano até comentou:

– Quando necessário recorre à violência e temos sérias suspeitas de que não hesitaria em mandar matar aqueles que cruzem o seu caminho.

Mais tarde, quando a jovem cigana chegou à praça, Baumgarten propôs jogarem dominó e, como não tinham nada mais importante para fazer, os três velhinhos em suas cadeiras de rodas ficaram ali jogando com ela e esperando a Senhora, que apenas apareceu no final da tarde.

Com ela também chegaram Bebéi, Pirilo e Cristina, que depois de uma noite de muitos beijos com Jordi já tinha sido convocada por Pirilo em caráter de emergência para ajudá-lo a resolver o mistério do húngaro.

A Senhora comentou que tinham revistado todo o apartamento e que não haviam encontrado nada. Decididamente, não era ali que o húngaro escondia seus papéis. Confirmou o que disse o velhinho americano: eles haviam recuperado as fotos e parte dos objetos e dos instrumentos musicais que ali estavam. Infelizmente, os papéis que ele tinha em suas gavetas e que não interessara aos ladrões e aos advogados, tinham sido destruídos; mas parece que eram partituras e anotações musicais, pois Arpad, o agente Z, não iria deixar documentos importantes guardados em gavetas sem chaves.

Bebéi aproveitou que todos estavam reunidos para perguntar se alguém sabia por que o húngaro tinha saído do apartamento sem lavar a louça e nunca mais voltado. E ninguém ali sabia responder.

Cristina foi a única que se atreveu a dar sua opinião:

– Vocês estão tão interessados em entender o que ele fez dez, vinte ou quarenta anos atrás que não pensaram que, provavelmente, a razão de seu desaparecimento esteja ligada a alguma coisa que aconteceu nos dez, vinte ou quarenta dias antes do dia em que ele se foi.

Ninguém comentou nada. Sinal de que a jovem estava certa. Pirilo pediu que ela o ajudasse a investigar. Cristina aceitou a condição de que fosse apenas por alguns dias, pois o que a preocupava não eram os papéis do húngaro e, sim, o futuro da sua cidade e, assim que pode, foi ao encontro de Jordi, que estava na casa de Carmela trabalhando no novo número do jornal.

Ela já chegou disparando energia:

– Temos que fazer alguma coisa e rápido. De nada nos serve fazer um jornal se não temos uma cidade onde vendê-lo. Estou impressionada com a passividade de todos!

Junto com Jordi também estava Gigi, que o ajudava com o artigo principal, e Nádia, que também estava entusiasmada com a ideia do jornal e era responsável pelas ilustrações e pela diagramação. Ela tinha até levado uma prima para ajudar; uma jovem de não mais que dezesseis anos, que tinha andado envolvida com drogas. Pelo que Nádia contava, devido ao entusiasmo gerado pelo *Realejo*, ela aparecera para viver em sua casa e tentar a reabilitação. Já estava lá fazia quase uma semana e, segundo Nádia repetia com orgulho, mantinha-se completamente "limpa".

– Não é que a gente de Santa Clara seja passiva – comentou Gigi. – O que acontece é que todos estão paralisados, pois ninguém sabe o que fazer e, o que é ainda pior, acham que nada pode ser feito para impedir os planos do prefeito.

Cristina decidiu aproveitar a tarde para caminhar um pouco e rever a cidade, mas antes comentou em tom de brincadeira:

– Vejo que Santa Clara se modernizou na minha ausência. Não temos os bandos de motocicletas como nos Estados Unidos mas percebo que já temos um bando de cadeiras de rodas passeando pela praça.

No apartamento do húngaro, Bebéi e Laurence ajudavam a recolocar as fotos na parede. Cento e nove, para ser bem preciso. Laurence estava feliz, não apenas pelas fotos como também pelas máscaras, pois quando chegaram as caixas recuperadas em Miami, ali também estava a coleção de trinta e duas máscaras africanas que Arpad tinha penduradas na parede do apartamento. Como combinado, a Senhora tinha mandado sua equipe para pintar o apartamento nas cores escolhidas por Laurence e, enquanto colocavam as fotos na parede, outra equipe cuidava da instalação de carpete e cortinas novas.

Colocar as fotos foi uma tarefa fácil pois, pela lembrança de Bebéi, eles descobriram que elas estavam dispostas na parede da sala de jantar das mais antigas, à direita perto do chão, até as mais recentes, no alto, à esquerda.

Algumas não seguiam a ordem cronológica. Eram fotos especiais, que estavam colocadas com maior detaque em outras partes do apartamento: a foto mais antiga de Lali dançando nas ruas de Budapeste; uma de Eszter sorrindo, em Berlim, e uma de Morgen com a roupa cáqui que, segundo Laurence, ela sempre utilizava quando viajava pelas montanhas. Nessa, atrás de Morgen se via um lago que, também segundo Laurence, era o Lago Kiwu, na fronteira do Congo com Burundi e Ruanda.

– As três grandes mulheres de sua vida – disse Bebéi. – E agora você tem de colocar uma foto sua, pois você é a quarta grande mulher da vida de Arpad.

Na parede da sala de jantar do húngaro havia fotos de seu pai ao lado de alguém que parecia ser muito importante e que provavelmente era Horthy, além de fotos de uma criança em traje de gala que parecia ser Arpad, tocando violino em um palco elegante que, segundo o velho Baumgarten que foi levado até o apartamento com a ajuda dos guarda-costas da Senhora, era do Teatro Nacional de Budapeste. Havia também fotos de soldados nazistas nas ruas de Budapeste e fotos dos soldados soviéticos quando invadiram a cidade. Uma foto de Eszter com Arpad diante de uma pequena cabana em meio à neve, que, pelas roupas e pela expressão enferma de Arpad, devia ter sido tirada quando de sua libertação de Kolima. Fotos de Berlim destruída pela guerra e da família Binder, onde se via Eszter e uma senhora mais velha que, provavelmente, era sua mãe. Várias fotos de amigos em Berlim e de uma jovem que poderia ser Tamara. Fotos de Argel, e entre elas, uma foto de Arpad em uma praça com várias autoridades do governo, na qual a pessoa que aparecia ao centro, e que não se podia reconhecer bem, Bebéi insistia que era seu pai. Havia fotos do Congo e, segundo explicou Laurence, algumas eram de Kinshasa, outras de Kisangani e outras ainda de alguns lugares nas montanhas do Congo. Havia também outra foto no Congo, onde Arpad aparecia ao lado de um senhor careca de terno e gravata que o velho Baumgarten jurava ser Che Guevara.

– Só não tem uma foto do tal Otto que consegue ingressos para partidas de futebol e matrículas nas escolas – brincou Bebéi.

– E como você queria que tivesse? – retrucou brincando o velhinho Baumgarten. – Se ele era um agente secreto da Stasi, não podia deixar-se fotografar.

Recompuseram o apartamento, examinaram cada detalhe de cada uma das fotos, mas foi muito pouco o que descobriram de novo. Mas pelo menos a memória de Arpad, nas fotos e nos livros, estava de volta ao apartamento que, agora, era de Laurence.

– Falta colocar aqui na sala uma foto da gaivota – disse Laurence –, pois foi ela que me trouxe aqui.

Capítulo XXXV
Finalmente, Cristina descobre por que o húngaro se foi sem avisar

Cristina sempre foi a assistente preferida de Pirilo e foi por isso que ele lhe pediu que investigasse os últimos dias do húngaro na cidade para tentar descobrir por que ele se foi deixando prato e talheres sujos na pia. Ela ia sair da Prefeitura para trabalhar no jornal, mas sabia que não poderia recusar esse último pedido.

A primeira coisa que Cristina fez foi conversar com Carmela, a diretora da escola nos tempos em que o húngaro era seu professor e maestro na orquestra.

Pelo que Carmela recordava, alguns dias antes de terminar o período escolar o húngaro tinha avisado que não voltaria a dar aulas no ano seguinte. Cristina também recordava que mais ou menos na metade daquele ano ele tinha decidido interromper os ensaios da orquestra. E foi com essas informações que ela começou a construir um cronograma dos últimos dias antes do desaparecimento de Arpad:

Junho – suspendeu os ensaios da orquestra.
Novembro – informou a Carmela que iria parar com as aulas.

Com os advogados do escritório de Miami, que desde que a Senhora e seus amigos passaram a pressioná-los faziam tudo o que lhes pediam, Cristina descobriu que a última visita que Arpad fizera ali foi na quinta-feira, dia 12 de dezembro de 1996. Por último, pelos registros da companhia de luz, seu último consumo de energia foi naquele mês de dezembro. A partir de janeiro, os registros não indicavam mais consumo no apartamento e ela anotou:

Visitou o escritório dos advogados em 12 de dezembro e desapareceu entre 12 e 31 de dezembro.

Algo que Cristina recordava bem é que algumas vezes ele parecia esquecer o que estava fazendo no meio da aula. Estaria doente?

O médico que o atendia já estava morto. Seu filho tinha seguido com a clínica e herdado todos os registros de pacientes do pai. Encontrá-los foi um pouco complicado, pois o filho tinha mandado os registros de clientes antigos para um depósito, mas com a ajuda da Senhora, que se colocou à disposição para ajudá-la, abriram as velhas caixas e encontraram o prontuário médico de Arpad. A ficha indicava que no mês de julho daquele ano o médico recomendara uma série de exames neurológicos, pois suspeitava que ele estivesse com Alzheimer. No início de novembro foi a última visita ao médico, que confirmou o diagnóstico:

A recorrência da perda de memória é maior, o que indica uma rápida progressão da doença. São visíveis os sinais de oscilações de humor, o que parece indicar que em breve deverá apresentar os primeiros sintomas de demência.

Com essas informações já era possível supor o que se passara:

– Tudo o que seu avô guardava com ele era a recordação dos momentos que havia vivido – explicou Cristina a Laurence. –

Provavelmente, foi por isso que, ao perceber que a memória lhe falhava, colocou as fotos na parede de forma organizada e guardou suas notas arquivadas nos vinte e seis livros que tinha na estante. Talvez tenha sido essa a maneira que encontrou para tentar lutar contra a perda de memória e também um modo de deixar todas as informações organizadas, no caso de a filha de Morgen um dia decidir procurá-lo. O que, de certa forma, se confirma com o que ele escreveu no livro de Xingjiang: "Meu último livro… de que me serve continuar lendo?".

Tanto tempo havia passado que era impossível comprovar, mas o que dizia Cristina parecia estar próximo da verdade.

– Foi quando ele visitou o escritório dos advogados e deixou tudo organizado, o que parece indicar que ele tinha a esperança de que algum dia um herdeiro poderia aparecer, pois até uma propriedade ele tinha comprado e guardado para ela ou ele. Organizou tudo de modo que ninguém soubesse de sua morte e deixou tudo à espera de que seu herdeiro aparecesse. E quando, finalmente, reuniu a coragem necessária, saiu do seu apartamento, desconectou a eletricidade e se foi para algum lugar para morrer. Provavelmente no mar, para que seu corpo nunca aparecesse e para que ninguém nunca soubesse de sua morte.

Baumgarten também comentou:

– Ele, provavelmente, sabia que você existia. Entre as fotos que aparecem do Congo, e que vimos na parede do apartamento, há uma onde aparece seu pai, e você sabe que seu avô nunca chegou a conhecer o seu pai. Ele sabia que Morgen se casara e talvez soubesse que ela tinha uma filha, mas nunca reuniu a coragem necessária para ir até Kisangani, pois sabia que Morgen nunca o perdoou pelo que fez. Segundo o que nos contou a Senhora, os recursos que obtinha com sua chantagem eram em parte enviados para a Fundação que sua mãe criou e, pelo que você mesma nos contou, foram essas doações, que agora sabemos foram de Arpad, que permitiram que a Fundação prosseguisse com seu trabalho. Ele comprou aquele terreno para você, mas nunca teve coragem para regressar à África para encontrá-la e por isso morreu sozinho. Pena que ele se foi antes de receber sua carta, pois certamente teria ido a Kisangani, mas isso já não importa. Graças a Bebéi e à gaivota, pelo menos você chegou a tempo de conhecê-lo melhor.

Laurence apenas escutou. Ela não conseguia mais falar sobre o assunto e queria apenas caminhar sozinha pelo calçadão e olhar as gaivotas voando no céu. Tudo aquilo fazia sentido, mas eram apenas suposições. Ela necessitava de algo mais. Todos ali estavam fazendo de tudo para ajudá-la. Ela percebia os olhos de Bebéi acompanhando de longe seus movimentos. Percebia também os olhos de Frida, a alemã que vivia nos degraus da igreja que, por alguma razão, sempre acompanhava seus passos como que procurando protegê-la. Entendia os esforços de Cristina para tentar se informar sobre os últimos dias de Arpad. Mas sabia também que nenhuma daquelas pessoas o tinha conhecido e Carmela, maestro Heitor e os outros mais velhos com quem ela tinha convivido apenas conheciam o lado profissional do húngaro. Arpad Corvinus para ela ainda era apenas um nome, uma foto na parede e uma série de histórias que Bebéi e os outros tinham contado, e não era esse o avô que ela estava procurando.

Por alguma razão ela sempre sentiu que o avô não era tão mau como sua mãe lhe dizia e as histórias contadas pela Senhora americana confirmavam que ele tinha se arrependido de tudo o que fizera em Kisangani. Mas por que ele nunca a procurou? Por que ele nunca voltou à África para procurá-la?

Foi no final daquela tarde que ela teve um encontro inesperado. Nádia apareceu na Praça da Catedral trazendo com ela sua avó, uma velha senhora que já pouco se movia mas que insistiu em ir até lá quando soube que o húngaro tinha uma neta. A velha, que já mal andava e quase nunca saía de casa, chegou dizendo a Laurence:

– Conheci seu avô. Por muitos anos era eu quem fazia a limpeza do apartamento dele. Todas as quartas-feiras passava por ali.

Conheço cada uma das fotos que ele colocou na parede e cada um dos instrumentos que ele guardava com muito cuidado. Eu podia tocar em tudo, menos nos instrumentos africanos. Aqueles eram os seus tesouros: os instrumentos e os livros, que por ordem expressa de seu avô jamais podiam ser retirados da estante.

Foi a primeira vez que Laurence sentiu a presença de seu avô. Não por um registro ou por uma história contada, nem pelo comentário de alguém que mal se recordava do que ele fazia. Pela primeira vez, ela ouvia alguém falar com carinho de Arpad e era isso que dava vida e calor ao que a avó de Nádia contava.

– Seu avô era um homem triste. Acho que nunca o vi sorrindo. Ele chegava para o almoço, depois do trabalho na escola, e quase nunca conversava comigo. Estava sempre triste; especialmente nas últimas semanas antes de partir. Ele me contou que iria viajar para nunca mais voltar. Perguntei para onde iria, mas ele não quis dizer. Apenas disse que deixaria o apartamento montado, pois talvez um dia alguém apareceria para reclamá-lo. E, naquele último encontro, contou que tinha tido uma filha que tinha morrido e também que nunca ninguém de sua família o tinha procurado. “Mas quem sabe um dia...?”, falou. Naquele dia ele também me deu um bom dinheiro para comprar uma geladeira nova. Seu avô era um bom homem.

Pelo menos alguém na cidade tinha uma boa lembrança de Arpad e isso já foi suficiente para fazer Laurence sorrir. Desde que nascera, sua vida tinha sido uma sucessão de viagens e ela nunca tinha tido a sensação de pertencer a algum lugar. Quem sabe seria Santa Clara a sua cidade?

E se para ela eram importantes as lembranças de seu avô, para outros na cidade a grande preocupação eram os planos do prefeito, e Cristina e Jordi trabalhavam nos últimos detalhes do terceiro número de *O Realejo de Santa Clara*, já que a ideia era apresentá-lo naquela mesma noite no encontro que teriam na pizzaria de Frei Bernardo.

O artigo principal tinha sido escrito por Jordi com a ajuda de Gigi e tinha um título bem provocador: "Estão roubando a sua água". Contava os planos ainda secretos da nova represa que seria construída para reter as águas do rio antes que elas chegassem à cidade.

Gigi era quem havia descoberto todo o plano.

"Como é possível que nos novos planos da cidade o rio desapareça?". Foi a partir dessa pergunta que os dois descobriram o que tramavam o prefeito e seus sócios.

Os apartamentos, os escritórios e as lojas da nova Santa Clara precisariam de muita água e, aproveitando-se disso, o prefeito outorgou a uma empresa francesa, da qual obviamente ele e o irmão também eram sócios, a concessão para construir uma grande represa, armazenar a água do rio e distribuí-la a toda a cidade, incluindo os hotéis e as megatorres da nova Santa Clara. O artigo descrevia, com ilustrações feitas por Nádia, onde seria construída a represa, a estação de bombeio, e explicava como os novos encanamentos levariam a água que passava pelo rio para distribuí-la pela cidade e como, depois, a água dos esgotos, seria jogada no mar sem tratamento.

O jornal também trazia, como cidadão destacado, Dioclécio Bergantin, que depois de Laís e de Cholo, tinha sido escolhido por uma razão muito especial: além ser conhecido e querido por todos, o filósofo que caminhava pela cidade e alimentava seus gatos no banco da praça já havia recebido a notificação para abandonar o depósito onde dormia com seus gatos, pois seria exatamente com a construção dos novos banheiros públicos que o prefeito daria o início à construção da nova cidade.

Dioclécio não havia contado isso a ninguém, pois ainda não tinha decidido o que fazer. E foi quando Jordi distribuiu *O Realejo de Santa Clara* na pizzaria, com a notícia do início das obras, que todos começaram a entender que a nova Santa Clara era uma catástrofe iminente. Mas aquele não era o único sinal. Grená havia descoberto que eles iriam utilizar a área do calçadão, onde estava o banco em que a Passarinho dormia para, a partir dali, iniciar as obras da nova marina.

O prefeito já tinha combinado com a freira da creche infantil que a Passarinho teria uma cama ali, mas ninguém tinha conversado com ela.

– Duvido muito que ela queira sair do calçadão – dizia Rasta. – Desde que me lembro, quando ainda era criança, ela sempre dormiu ali.

Dona Cécy também apareceu na pizzaria naquela noite. Todos estavam surpresos por vê-la participando daqueles encontros e já imaginavam que alguma razão ela deveria ter... Ela explicou que alguns engenheiros tinham visitado o casarão abandonado em frente a sua casa e, quando ela perguntou, contaram que o casarão seria utilizado como dormitório para os trabalhadores e engenheiros, e que a velha das histórias e as crianças ciganas teriam de sair dali.

– Como é possível? – perguntou Frei Bernardo, lembrando, em segredo, que foi ali que, pela primeira vez, ele e Gigi se amaram.

– E a velha que inventa histórias? – perguntou Grená, atônita. – Sem ela Santa Clara não terá mais histórias para contar.

Naquela noite, na Pizzaria do Frade, acabaram por se juntar todos os que lamentavam os planos do prefeito: aposentados que iriam perder seu espaço de jogar dominó; crianças que já não poderiam mais brincar com seus amigos nas ruas; jovens que não poderiam mais fazer serestas nas praças cheias de turistas; os que teriam de deixar suas casas para a construção das novas torres; os poetas que se reuniam na Praça Bolívar para compartilhar versos; os músicos que tocavam com a banda municipal, que passaria a se apresentar no ginásio da escola, pois o coreto também desapareceria para dar lugar às mesas dos restaurantes... Passaram por ali todos os que gostavam da cidade que iria desaparecer para dar lugar à nova Santa Clara dos desenhos dos anúncios, onde tudo era colorido, novo e moderno. Até as pessoas que ali iriam viver!

Lamentaram, reclamaram, discutiram e, ao final, saíram todos frustrados, pois não havia nada que pudessem fazer. Podiam continuar fazendo oposição ao projeto, mas não tinham como detê-lo. Os investidores já tinham comprado todos os terrenos e os que faltavam, porque seus proprietários resistiam, estavam sendo desapropriados pela Prefeitura. As plantas e as maquetes estavam prontas e os investidores haviam conseguido todo o financiamento necessário ao projeto. A nova cidade era quase uma realidade e a única alternativa parecia ser resignar-se e conviver com ela.

Robespierre não estava de acordo com aquilo e, em sua loucura, propunha recorrer às armas, no que era apoiado por Frida e pelo Coronel Vieira. Moriarty, o eterno pacifista, propunha que uma delegação fosse tentar convencer o prefeito a mudar de ideia. Nullo e Dioclécio estavam calados, pois não sabiam o que fazer, e a Passarinho apenas sorria, como sempre fizera em toda sua vida.

Sentado em uma das mesas da pizzaria, Bebéi perguntava a Ilona:

– Será que ainda vou poder passear com meu cachorro pelas ruas?

Foi Gigi quem respondeu, lembrando que seriam tantos os veículos que provavelmente eles iriam restringir as horas para passeio com cachorros, assim como tinham feito nos tempos da invasão da quarta frota americana.

– Sempre poderemos ir viver com minha família no Nebraska – disse Paul.

Ilona o encarou com tal expressão de ódio que, certamente, depois daquela noite, ele nunca mais ousaria repetir o convite.

Capítulo XXXVI
O prefeito contra a parede e todos nas ruas procurando os assassinos

– Você é a única que ainda pode fazer alguma coisa – dizia Baumgarten a Laurence, enquanto conversavam no quarto do hotel. – Já sabe quem era seu avô e como ele se preocupou em deixar algo aqui esperando por você. Se quiser ficar, tem um apartamento onde viver, um terreno para construir uma nova casa com vista para o mar e uma conta bancária com muito dinheiro. Se quiser partir, pode vender tudo e irá, rica, viver onde queira, pois certamente os investidores pagarão o preço que você pedir pelo terreno.

Laurence sabia o que queria. Ela se sentia feliz em Santa Clara. Em Kisangani, sua avó tinha acabado de morrer e seu pai já sabia que ela não pensava em voltar a viver ali. Queria viver em Santa Clara mas agora a cidade iria desaparecer... ou será que ela poderia fazer algo para salvá-la?

– Conheci seu avô e sei como ele pensava – disse Baumgarten e, antes de dizer qualquer outra coisa, foi com ela até o banheiro, onde abriu o chuveiro, as duas torneiras da pia e até acionou a descarga enquanto falava. Laurence entendeu, pois já conhecia a paranoia do velho amigo de sua mãe com relação a microfones.

– Esta chave não é de um cofre qualquer! – E ele sussurrava no ouvido de Laurence em meio a toda aquela orquestra de sons no banheiro: – Eu a conheço. É a chave de um dos cofres da agência postal que fica em frente ao estádio de futebol Ferenck Puskas, em Budapeste. Era ali que seu avô Arpad e sua avó Eszter tinham uma caixa postal e onde Lali, sua bisavó cigana, que vivia nas ruas, guardava tudo que tinha de importante. O número da caixa, seu avô lhe deixou. O pequeno envelope com a chave estava na sexta parte do capítulo quarto de Germinal, na página 256. Conheço como seu avô aprendeu a esconder as coisas e lhe asseguro que os papéis que ele escondeu estão ali, na caixa número 6-4-256. Ninguém nesta cidade pode parar esse projeto, mas você tem algo em suas mãos que russos e americanos querem muito. Você decide o que fazer com esta chave. Se quiser partir com o dinheiro, pode, e ninguém nunca saberá desta nossa conversa; mas, se preferir, poderá usar esta chave e os papéis guardados por seu avô para parar o projeto, pois nenhum prefeito e nenhum investidor poderá resistir se russos e americanos estiverem do seu lado.

Laurence não precisou pensar muito. Ela queria viver em Santa Clara. Ela acreditava que a gaivota, espírito de seu avô, tinha ido buscá-la em Kisangani e que era isso que o voo das gaivotas lhe confirmava todos os dias quando caminhava pelo calçadão. Ela amava aquela cidade com suas ruas e praças, com sua gente e sua tranquilidade, e não queria uma nova cidade com torres enormes, modernos centros comerciais, barulho de carros e pessoas apressadas cruzando por todos os lados.

– A única pessoa apressada aqui é a Passarinho que corre, corre e nunca tem nada a fazer. E é assim que tem de ser! – disse ela, sorrindo.

Baumgarten explicou a Laurence seu plano e no dia seguinte ela se reuniu com os dois velhinhos motorizados e colocou suas condições:

– Vocês me ajudam a convencer o prefeito a abandonar o projeto da nova Santa Clara, eu lhes entrego a chave e lhes conto onde estão escondidos os papéis de Arpad.

Os americanos e os russos também não tiveram muito o que pensar. Consultaram as autoridades dos dois países e, naquela mesma tarde, confirmaram aceitar as condições.

– Existem coisas que é melhor deixar esquecidas no passado – disse o velhinho americano. O russo concordou.

A Senhora foi a escolhida para conversar com o prefeito. Mas ele resistiu. Era muito o dinheiro que ganharia com aquele projeto.

A Senhora chegou mesmo a ameaçá-lo, mostrando os números das contas que ele tinha nas ilhas Cayman e lembrou que elas poderiam ser bloqueadas em uma investigação de lavagem de dinheiro.

– Mas tudo isso será esquecido no caso de uma decisão positiva – disse ela. E ele entendeu muito bem o que ela queria dizer.

O prefeito sabia que estava contra a parede, mas sabia que poderia resistir. O que necessitava era tempo. E foi a sérvia quem lhe deu uma alternativa. Ela sabia que a Senhora não conseguiria manter aquela pressão por muito tempo:

– No fundo, são burocratas e, por mais que queiram fazer as coisas à sua maneira, vão ter de lidar com as pressões de seus governos. E o tempo joga a nosso favor. Se conseguir resistir uma ou duas semanas, eles perderão a força.

A Senhora sabia que isso era verdade. Seus chefes estavam impacientes e as coisas se complicaram ainda mais quando seus amigos explicaram como andava o plano de proteção a Laurence.

– A boa notícia é que a estratégia funcionou e os que foram contratados para eliminar Laurence já entraram em contato, querendo saber se pagamos mais. Mas estão desconfiados. A má notícia é que o acordo não foi feito com um único profissional, mas com um grupo, uma gangue hondurenha de San Pedro Sula. A gangue é grande; na maioria, são jovens viciados em drogas, dispostos a fazer qualquer coisa por dinheiro. São especialistas nesse tipo de trabalho. Normalmente, atacam com dois numa motocicleta; o que está sentado atrás dispara e depois fogem. Não temos como detê-los. O que vamos fazer é aumentar a vigilância sobre os principais membros do grupo, mas já lhes aviso que será impossível evitar que algum deles consiga entrar em Santa Clara. Outra coisa que vamos fazer é controlar as motocicletas ,onde a senhorita Laurence está, e proibir que circulem com pessoas na garupa. Mas não sei por quanto tempo aguentaremos, pois muitos vão reclamar.

A informação causou uma grande preocupação e provocou um pequeno encontro de emergência, naquela mesma noite. A reunião foi na Praça da Catedral, que estava vazia e era o único lugar onde os três velhinhos podiam chegar facilmente com suas cadeiras motorizadas.

– O senhor Baumgarten tem razão – disse o russo. – Com nossos acordos transformamos Laurence em um alvo fundamental para os interessados no projeto. Como ela não quer vender, a única alternativa será eliminá-la para que a propriedade possa ser transferida aos investidores sem necessidade de desapropriação. O prefeito, que não é bobo, vai tentar ganhar tempo – e tempo é o que não temos.

Todos começaram a dar suas opiniões. Tenente Pirilo ainda achava que a ideia de proteger Laurence era uma paranoia. Insistia que conhecia os investidores e que eles não eram assassinos. Foi a Senhora quem lhe respondeu:

– Os investidores não são assassinos. Para eles é indiferente onde ganham seu dinheiro. Se não puderem fazer esse projeto aqui, investirão em outro lugar. Mas, pelo que nossos informantes confirmaram, esse egípcio El Waun comprometeu-se com os árabes em fazer o projeto de Santa Clara e, se a coisa não for adiante, ele será o responsável pelo fracasso. Isso significa perder muito dinheiro e ter sua reputação bastante afetada. Tudo indica que foi ele quem contratou o grupo de assassinos.

Todos os que estavam ali reunidos, começando por Bebéi, estavam de acordo que era melhor levar Laurence para outro lugar, mas não conseguiram convencê-la.

– Estou tranquila, pois aqui o cachorro de Bebéi e a gaivota me protegem vinte e quatro horas por dia – um argumento que certamente não convencia ninguém, mas que teve de ser aceito, pois ela foi categórica ao dizer que não deixaria Santa Clara até que tudo estivesse completamente resolvido. – Minha mãe me ensinou a nunca fugir dos inimigos! – E com essa frase deixou claro que sua resposta era definitiva.

Com a insistência de Laurence, o Baumgarten propôs outra alternativa.

– O que devemos fazer é eliminar essa pressão sobre Laurence. Pelo que entendo, os advogados têm uma procuração para vender ou transferir a propriedade que iriam utilizar para fazer a troca do terreno de Arpad por um outro terreno fora da área da nova cidade. O que podemos fazer, então, é transferir um metro quadrado bem no centro da propriedade para o governo americano e outro para o governo russo. Com isso, colocamos os dois governos como sócios da propriedade e impedimos a desapropriação.

A proposta foi imediatamente rechaçada tanto pelos americanos como pelos russos que também estavam ali reunidos com eles na praça.

– Isso implicaria uma burocracia absurda e nos tomaria meses para obter todas as autorizações necessárias dos dois governos – disse a Senhora, com firmeza, e tanto o velhinho russo quanto o americano confirmaram estar de acordo com ela.

– Que pena! – comentou senhor Baumgarten, olhando para Laurence e dando sinais de que estava pronto para sair dali.

– Se em quarenta e oito horas não tivermos esses dois metros quadrados legalmente transferidos para os dois governos, parece-me que a melhor alternativa será entregar a chave a um grande jornal internacional. – Depois, complementou: – Agora sou obrigado a abandoná-los, pois tenho uma partida de xadrez com a jovem cigana.

Acionou sua cadeira e foi para o outro lado da praça, onde ficava a mesa de xadrez. Laurence foi com ele.

Os velhinhos motorizados continuaram discutindo com a Senhora e Baumgarten já estava nas jogadas iniciais de uma defesa Alekhine com a jovem cigana quando a Senhora se aproximou, com expressão tensa mas, ao mesmo tempo, elegante:

– Ok, não se preocupem e não façam nada. Em quarenta e oito horas, as duas transferências estarão concluídas.

Laurence sorriu orgulhosa com os resultados da estratégia de Baumgarten. No banco ao lado, Dioclécio, que acompanhava a partida, também sorriu. Apenas o velhinho não sorria, pois a jovem cigana estava tentando uma variação da defesa Alekhine, colocando pressão sobre seus peões mais avançados. Os dois velhinhos com suas cadeiras de roda também se aproximaram para ajudar Baumgarten a enfrentar o desafio e, como tudo parecia estar tranquilo, o cigano da sanfona começou a tocar uma de suas nostálgicas canções.

Bebéi a tudo observava, acariciando seu cachorro. Naqueles dias eram poucas as oportunidades que tinha para estar com ele, pois o cão estava fazendo a guarda de Laurence: passava o tempo todo com ela e até dormia no hotel; por instruções específicas de Bebéi, não podia deixar Laurence sozinha nem um só minuto, e tinha de prestar atenção nas motos, o que era uma tarefa fácil para um cão que odiava motocicletas.

– É muito importante continuarmos atentos – Dioclécio Bergantin comentou com Bebéi. – Os assassinos já devem estar na cidade e, provavelmente, ainda não sabem do acordo que fizeram.

Pirilo, que não acreditava na paranoia dos velhinhos, tampouco que o cachorro e a gaivota fossem uma proteção suficiente, colocou dois guarda-costas ao lado de Laurence e instruiu seus assistentes a checar os documentos de todas as motocicletas que entravam na cidade.

– Motocicleta com alguém na garupa não entra e ponto! – insistiu Pirilo. – Podem reclamar quanto quiserem!

O sistema de proteção parecia funcionar, mas a verdade é que chegou a criar certa confusão nos dias que se seguiram.

Os que vigiavam as ruas estavam atentos a comportamentos estranhos, mas nem sempre sabiam diferenciar quem deveriam e quem não deveriam vigiar. Foi assim no domingo, quando o arcebispo chegou para a missa e para suas visitas dominicais. O filho da Passarinho, que também estava em alerta, foi o primeiro a suspeitar de um homem com roupa escura que parecia estar observando Laurence na praça e avisou Dioclécio, que logo avisou aos outros. O suspeito olhou para Laurence três vezes o que não deveria chamar a atenção, pois todos os homens olhavam pelo menos três vezes quando Laurence passava, mas o curioso é que depois que ela entrou no hotel, ele ainda ficou por ali como que esperando alguém.

Mais tarde, quando a missa terminou e o arcebispo foi caminhando até a casa do prefeito, onde todos os domingos eram servidos refrescos e biscoitos para ele e para suas amigas católicas, os ciganos notaram que o mesmo homem de terno escuro também se aproximou da casa, sem nenhuma razão aparente.

Quando Laurence voltou à praça, o suspeito olhou para ela outra vez e permaneceu sentado em um dos bancos em frente ao hotel. Dioclécio foi até lá, sentou-se a seu lado e tentou puxar conversa, mas o suspeito evitou conversar. Aí foi Priscília, o cabeleireiro amigo de José Princesa, que ao passar por ali reconheceu o suspeito como alguém dos tempos do Gata Caliente, o cabaré maldito do porto:

– É uma pessoa estranha, sadomasoquista e muito violento, com quem saí uma vez e nunca mais. Nenhum dos travestis do cabaré queria sair com ele. Depois de um tempo, ele desapareceu. Agora está aí na praça, de terno e gravata preta. Muito estranho... – E foi isso que foram contar a Pirilo que, por via das dúvidas, colocou um policial para vigiá-lo.

A suspeita aumentou quando perceberam o homem se aproximando de uma casa atrás do hotel de Laurence e ficou ainda pior quando ele entrou, por uma entrada meio escondida, na casa do Comendador Ernestino.

A polícia, imediatamente, avisou Pirilo, que foi direto para casa do Comendador, homem viúvo e muito religioso, que se surpreendeu com sua chegada e até tentou evitar a entrada do Tenente em sua casa. A confusão que se formou ali foi enorme e nunca foi explicada. A única coisa que se soube ao certo é que o arcebispo também estava naquela casa, "descansando depois da missa"; as explicações sobre quem era o suspeito e o que ele estava fazendo ali nunca foram muito claras. A versão oficial foi que o arcebispo havia passado mal e o suspeito era um enfermeiro que tinha ido medicá-lo. Uma história em que ninguém acreditou, mas como o suspeito certamente não estava ali para matar Laurence, Pirilo achou melhor deixá-lo ir e esquecer o que tinham visto.

– Melhor que seja com um sadomasoquista do que com os meninos da primeira comunhão – dizia Grená, que, claramente , não tinha nenhuma simpatia pelo arcebispo desde que ele expulsara Frei Bernardo da igreja.

Outro problema foi com a equipe que acompanhava as câmeras instaladas nas ruas. O sofisticado sistema que o irmão do prefeito havia comprado que incluía várias câmeras, permitia seguir uma pessoa por toda a cidade. E foi assim que um dos assistentes percebeu uma mulher vestida com roupas de homem, óculos escuros e chapéu caminhando pela rua da Embaixada chinesa.

– E como você percebeu que era uma mulher? –perguntou Pirilo.

A resposta do assistente foi rápida:

– Posso não entender muito bem destes sistemas modernos de vigilância, mas de bundas eu entendo. E aquela não é bunda de homem.

O fato se confirmou mais adiante, quando uma câmera mais bem colocada permitiu a identificação. A bunda era de Minda, a amante finlandesa do prefeito.

Ao perceber isso, Pirilo pensou em interromper a vigilância mas, pelo que explicou depois, como eram muitos os técnicos que estavam ali trabalhando, pareceu-lhe melhor não explicar quem era Minda. Uma história que convenceu a equipe do prefeito mas que não convenceu Clara, que riu ao ouvi-la.

– Já entendi. Você deixou pra lá, só para ver com quem Minda iria transar. E agora me conte: com quem? Não vá me dizer que... – e parou de falar, rindo.

Pirilo confirmou sua suspeita. Clara gargalhou ao saber que Minda tinha entrado no apartamento do Negro Zen, de onde saiu muito cansada e relaxada duas horas depois.

Como se pode imaginar, não foi exatamente um sorriso o que se viu no rosto do prefeito quando lhe contaram quem era e o que fazia aquela nova suspeita. Mas, bem ou mal, o sistema de vigilância estava funcionando e eram muitos os olhos abertos protegendo Laurence.

Cada um na cidade se concentrava em suspeitos diferentes. Os ciganos cuidavam dos turistas. O cigano da sanfona insistia que a melhor forma para um assassino profissional se aproximar de Laurence era disfarçando-se de turista. Robespierre desconfiava das equipes de coleta de lixo e passava em revista cada uma das equipes que chegava à cidade. Frida, por alguma razão que ninguém entendia, passava os dias vigiando a ponte, na entrada do bairro onde vivia Nádia, e aproveitava para ficar ali sob o guarda-sol que dividia com a prima, que continuava em recuperação e ajudava com a manivela do *realejo*.

O único que, por alguma razão, não gostou muito daquilo foi o cachorro de Bebéi, pois o dia em que Laurence foi até a ponte onde estava Nádia, começou a latir e a forçou a voltar para a praça. Há quem diga que ele latiu por sentir que havia ali algo que preocupava Frida, mas Bebéi insistiu com Laurence que ela não deveria mais andar por aqueles lados.

Ainda assim, o velhinho Baumgarten continuava preocupado:

– O assassino vai chegar exatamente por onde não estamos esperando. É assim que temos de pensar.

Capítulo XXXVII
E, ainda que antiga, Santa Clara continua serena frente ao mar

Depois que as duas embaixadas confirmaram, oficialmente, a transferência dos dois metros quadrados do terreno de Laurence para seus países, o prefeito, então, desistiu. E foi ele mesmo quem anunciou a suspensão do projeto com uma grandiosa transmissão ao vivo da Praça da Catedral onde, cercado por várias crianças da escola municipal, informou à população em lágrimas que, com "profunda dor", ele tinha decidido suspender o projeto.

– Sei que esse projeto iria trazer muito progresso e riqueza para muitos, mas sei também que os principais beneficiados seriam os empresários e os banqueiros. Percebi, escutando a voz de todos vocês, que a gente desta cidade, com quem cresci, não seria beneficiada pela nova Santa Clara. As torres e os centros comerciais seriam para os outros e não para nossas crianças. E aprendi com meu saudoso pai que nossa maior obrigação é assegurar o futuro de nossos filhos. Temos de entregar a eles uma cidade onde possam viver tão bem como na cidade que nos entregaram nossos pais. É por isso que vamos suspender imediatamente o projeto e, com os recursos que temos, ainda que limitados, vamos fazer obras que beneficiem a todos os que vivem aqui.

Como o prefeito era um grande artista quando discursava, as pesquisas de opinião realizadas por sua equipe na semana seguinte ao pronunciamento chegaram a indicar noventa por cento de aprovação, o que lhe assegurava uma nova reeleição, fosse quem fosse o candidato da oposição.

O prefeito talvez não fosse ganhar todo aquele dinheiro que imaginara, mas que importava? Ele já estava milionário, continuaria ganhando muito com as comissões e continuaria sendo tratado com grande respeito e carinho pelas ruas da cidade. A única coisa que o incomodou foi que, por mais que tenha tentado, não conseguiu ser convidado para a festa de fechamento do Castelo da Ladeira, festa que por muitos foi considerada a celebração do enterro da nova Santa Clara.

O Castelo guardava importantes recordações para todos. Ali Ilona, Frida e duas amigas, tempos atrás, tinham montado a primeira casa de mulheres independentes da Rua das Francesas, rompendo assim a exploração e o controle que os homens exerciam sobre o seu trabalho. No Castelo, desde o início, eram elas que controlavam seu próprio trabalho, ficando com todo o dinheiro arrecadado.

As mulheres que fizeram a história daquele lugar já há tempos não trabalhavam ali e muita coisa tinha mudado desde então. Quase nenhuma mulher de Santa Clara queria mais aquele tipo de trabalho e só quem atendia os homens eram mulheres de outros lugares que chegavam com contratos temporários de trabalho. Com todas as atrações e espetáculos dos novos cassinos e cabarés, as antigas casas de mulheres como aquela, tinham perdido muito de seu encanto. Mas se os tempos eram outros, ainda eram muitas as lembranças e, por isso, a festa de encerramento do Castelo da Ladeira foi um evento tão especial.

De acordo com os boatos, quem havia comprado a casa era Caridad, uma cubana recém-chegada que era também uma das duas sócias que abriram o Castelo com Frida e Ilona. Diziam que, depois de ter vivido na Europa, ela regressava viúva e rica a Santa Clara, com planos que ainda eram um mistério. Ilona dizia que Caridad queria, finalmente, fazer algo por sua Cuba, de onde tinha saído ainda na barriga de sua mãe e para onde nunca mais tinha voltado.

– Sempre que digo que sou cubana, me olham curiosos para saber se sou um daqueles cubanos estranhos, que vivem na ilha, ou se sou um daqueles outros raivosos, que vivem em Miami. Que merda! Sou cubana, sim, mas sou uma cubana alegre, gostosa, orgulhosa de ser uma mulher latina e não gosto que nos diferenciem.

Foi com toda aquela energia latina que ela organizou com Ilona uma grande festa no dia seguinte ao anúncio do prefeito, para a qual havia algumas regras especiais: era uma festa de mulheres, organizadas por elas e, principalmente, para elas onde homens somente entrariam com convite personalizado de alguma das amigas do Castelo. E foram poucos os que tiveram essa honra. Bebéi entrou junto com Paul e Cavafys, os três acompanhando Ilona, que estava mais exuberante do que nunca. Dioclécio Bergantim, que naquela noite vestia roupa limpa e até cheirosa, foi convidado por dona Cécy que, antes de ser cozinheira do Café da Ilona, cuidava da limpeza da casa do Castelo. Os pelagatos Nullo, Robespierre, Coronel Vieira e Moriarty entraram como convidados de Frida, e Rasta Bong foi convidado por Ludmilla, mas tiveram de sair ainda no meio da festa para ir ao hospital, onde Ludmilla deu a luz a sua filha.

A Anã Chinesa, que tinha sido espiã de seu governo disfarçada de apresentadora de espetáculos na Rua das Francesas e que, por força de um casamento mal explicado, virou embaixadora, veio especialmente de Hong Kong para a celebração. Junto com ela, chegou de surpresa o Grande Chefe Russo que, segundo Grená, não veio por causa da festa, mas para conhecer sua neta, a filha de Ludmilla e Rasta, que estava para nascer.

Os velhinhos das cadeiras de rodas foram convidados, pois não havia ninguém em toda a cidade que não estivesse encantado com a simpatia dos três jogando dominó e contando histórias divertidas na Praça da Catedral. Frei Bernardo até fechou a pizzaria mais cedo naquela noite para poder ir com Gigi. Cristina e Jordi foram orgulhosos, acompanhando suas mães, que tinham trabalhado por muito tempo no Castelo. Até Arcádio foi convidado pela Passarinho, que estava ainda mais sorridente.

José Princesa não precisou de apresentação. Entrou como convidado de Lola Marlene, com um vestido colorido que chamou a atenção de todos na festa. Menos do prefeito, que não foi convidado, apesar de sempre ter deixado muito dinheiro por ali com as mulheres.

A música ficou por conta da banda dos ciganos e lá dentro só o que importava era beber e dançar. Sem pensar no ontem e nem no amanhã. Curiosamente, a única que não dançava nem bebia era Frida que, para surpresa de todos, estava completamente sóbria. Tenente Pirilo era dos poucos que sabiam a razão e não contava a ninguém, mas a verdade era que Frida estava muito desconfiada. Ela havia levado muito a sério a ideia de proteger Laurence e não queria dizer a ninguém de quem suspeitava.

– Não tenho provas, apenas suspeitas – disse a Pirilo. O tenente já nem queria mais dar atenção a quem vinha lhe falar de suspeitos. Cada um na cidade tinha sua teoria e para ele aquela história de matar Laurence ainda parecia uma paranoia do velhinho Baumgarten.

Em meio a toda aquela festa, Frida manteve-se sóbria e atenta a cada um dos movimentos de Laurence, que naquela noite não contava com a proteção do cachorro de Bebéi. O cão tinha o mau-hábito de latir quando era muito o barulho e, por isso, tinha sido excluído da lista de convidados.

– Laurence está tão bonita que fez a alemã se esquecer dos homens e das bebidas – dizia Lola Marlene, para quem Frida estava obcecada com a beleza da jovem africana.

Com o entusiasmo da festa, todos acabaram por esquecer Frida até que, sem que ninguém entendesse por que, ela premiou a prima de Nádia com um soco no queixo, que fez a jovem ir parar quase desacordada debaixo da mesa, onde Laurence estava sentada e ali ficar, meio atordoada, até que a levaram presa e algemada para a delegacia.

De início alguns pensaram que Frida estivesse louca. Nádia era filha de uma das mulheres que tinham trabalhado no Castelo e tinha levado com ela sua prima que, desde que chegara a Santa Clara, passava todo ao tempo a seu lado. Só depois de tomar quase meia garrafa de vodca, em apenas um gole, Frida explicou, com a elegância de sempre:

– Reabilitação: um corno no rabo. Dois dias atrás ela estava comprando pozinho branco atrás do velho forte. Pensei que gostava de mulheres, mas ontem mesmo peguei ela olhando para a bunda de Jordi. Que queria ela com Laurence? Quando abriu a bolsa e vi a arma, meti-lhe uma cacetada para facilitar a vida de Pirilo.

Na bolsa da jovem encontraram uma pistola com um silenciador ultramoderno que, segundo as investigações que fizeram depois, tinha sido comprada em Miami. Isso e mais cinquenta mil dólares em notas de cem, que encontraram no quarto onde dormia, fizeram com que ela confessasse tudo ainda naquela noite. A prima, supostamente em reabilitação, fazia parte de uma mara hondurenha de San Pedro Sula e, ainda que tivesse apenas dezesseis anos, aquele não era o primeiro assassinato encomendado que faria em troca de dinheiro para comprar drogas.

O que se passou depois na festa apenas sabem os que lá estavam, e estou certo de que ninguém vai contar. Segundo o taverneiro asturiano, que pela manhã passou em frente e viu a expressão dos que saíam, a bebedeira foi das mais intensas.

Bebéi nunca conseguiu lembrar como saiu de lá nem como chegou a sua casa. Apenas despertou depois do meio-dia. Tinha dormido de camiseta, cueca, sapatos e meia, dentro da banheira de seu apartamento. Precisou até comprar um chapéu novo, pois o que sempre usava desapareceu naquela noite e, por mais que todos o tenham procurado, nunca mais foi encontrado. Mais um dos mistérios da cidade.

Passada a ressaca, a vida em Santa Clara voltou ao normal. O prefeito aproveitou para tirar alguns dias de férias, segundo Grená, com uma nova bailarina hindu, e regressou mais entusiasmado do que nunca para dar continuidade a sua gestão neorrevolucionária; se não ia mais ganhar dinheiro com a nova cidade, sempre haveria outras formas de fazer dinheiro administrando as finanças de Prefeitura.

Ilona manteve seu Café em frente ao mar, um lugar perfeito para conversar sobre a vida e seus mistérios em meio a copos de uma boa tequila. Permaneceu também fiel à memória de Júlio, o Condor, seu único grande amor, ainda que compartilhando sua casa com professor Paul, que todas as noites lhe contava histórias de planetas e galáxias distantes que ela via do terraço do restaurante.

Dioclécio Bergantim, que a tudo observava de seu banco na praça, continuou dormindo com seus gatos no depósito atrás da Catedral. Foram tantas as manifestações de apoio que recebeu, que o prefeito decidiu abandonar a ideia de construir os banheiros públicos naquele lugar. A única coisa a mencionar é que ele estava cada vez mais gordinho, graças à comida que dona Cécy compartilhava com ele na cozinha do Café.

Cristina abandonou, definitivamente, a Prefeitura para trabalhar com Jordi no *Realejo* e Pirilo continuou podendo jogar seu dominó todas as tardes, pois a cidade voltou a ser um lugar tranquilo.

Os pelagatos permaneceram nas escadarias das Mercedes, admirados com a melhora no humor de Robespierre. Desde que a jovem que trabalhava na farmácia botânica de Rasta lhe receitara algumas raízes, ele já não temia mais os macacos e até se fez amigo do macaquinho do filho da Passarinho, que algumas vezes dormia no seu colo nos degraus da escadaria da igreja.

Coronel Vieira continuou paranoico. Dizia que havia câmeras filmando os degraus das Mercedes, o que era verdade, mas ninguém sabia. A única que suspeitava era Grená, pois tinha encontrado microfones gravando tudo o que conversava em frente ao seu guarda-sol; provavelmente, coisa do irmão do prefeito, que queria saber se alguém estava roubando na cidade para defender o monopólio que tinham na área.

Laurence ficou vivendo em Santa Clara, no apartamento que era de seu avô. Segundo o que Bebéi contou um dia a Grená, a gaivota, às vezes, vinha visitá-la e dormia no terraço do apartamento, como se estivesse protegendo seu sono. E o terreno em frente ao mar que seu avó lhe deixou permaneceu vazio.

Grená estava contente, pois tinha uma neta na casa que, todos reconheciam, era tão bela como Laurence, já que herdara a exuberância africana de seu filho Rasta e intensos olhos azuis russos de Ludmilla. Grená teve até o orgulho de receber em sua casa o milionário russo, que foi visitar sua neta Makeda, nome escolhido pelos pais em homenagem à Rainha de Sabah.

Os dois velhinhos, o russo e o americano, foram embora levando suas cadeiras de rodas motorizadas e prometendo voltar no ano seguinte.

Bebéi continuou caminhando pelas ruas com seu cachorro... Porém, queria ainda confirmar uma suspeita e, por isso, escreveu uma pequena carta de agradecimento ao velhinho Baumgarten, que lhe entregou no dia em que foi levá-lo ao aeroporto.

Baumgarten leu com atenção e, ao terminar, devolveu a carta a Bebéi, dizendo:

– Muito obrigado por isto. Saiba que sinto a mesma admiração e carinho por você.

– E por que está devolvendo a carta? – perguntou Bebéi.

– É que em minha vida – explicou Baumgarten – nunca pude guardar as cartas que recebi e como me parece falta de respeito rasgar algo escrito com carinho, sempre preferi devolvê-las a quem as escreveu.

Bebéi sorriu. Finalmente, havia conseguido confirmar que o velhinho amigo de Laurence era o Otto, da Stasi, que tanto ajudara Arpad e sua família.

Ao perceber a expressão no rosto de Bebéi, Baumgarten comentou:

– E agora que você sabe quem sou, eu o convido a passar por minha casa em Portugal para provar uma sopa de linguiça com grão-de-bico preparada por minha senhora. Garanto que é ainda melhor do que a que preparamos. E creio que vai gostar de conhecê-la. Hoje você conhece apenas seu nome, um nome que ela utilizou no passado e que não é um nome de mulher. Ela é a Francisco, das notas do livro de Anatole France, uma encantadora e doce mulher portuguesa, mas isto é melhor que permaneça como um segredo entre nós.

Bebéi voltou contente à cidade e encontrou o Coronel que, meio bêbado, sorria e comentava:

– Finalmente, tudo está tranquilo outra vez em Santa Clara!

Bebéi, que já compreendia como eram as coisas naquela cidade, completou:

– Por pouco tempo, Coronel. Por pouco tempo. Pode estar certo de que não passa uma semana até que alguém invente outra novidade para movimentar a vida por aqui.

A cidade continuou bela como sempre e, segundo contam os pescadores, quando no mar chegava a brisa que vinha da terra, eles sempre podiam escutar o alegre som dos *realejos* de Santa Clara Frente ao Mar.